PREFÁCIO POR CASH LUNA

12 DIAS PARA ATUALIZAR SUA VIDA

COMO SER RELEVANTE EM UM MUNDO DE CONSTANTES MUDANÇAS

TIAGO BRUNET

Editora Vida
Rua Conde de Sarzedas, 246 – Liberdade
CEP 01512-070 – São Paulo, SP
Tel.: 0 xx 11 2618 7000
atendimento@editoravida.com.br
www.editoravida.com.br

©2017, Tiago Brunet

Todos os direitos desta obra reservados por Editora Vida.

Proibida a reprodução por quaisquer meios, salvo em breves citações, com indicação da fonte.

Eventuais destaques ou grifos nos textos bíblicos e em citações em geral, quando não identificados de outra forma, são do autor.

Scripture quotations taken from Bíblia Sagrada, Nova Versão Internacional, NVI®. Copyright © 1993, 2000, 2011 Biblica Inc. Used by permission. All rights reserved worldwide. Edição publicada por Editora Vida, salvo indicação em contrário.

Editor responsável: Marcelo Smargiasse
Editor-assistente: Gisele Romão da Cruz
Preparação de texto: Andrea Filatro
Revisão de provas: Josemar de Souza Pinto
Diagramação: Claudia Fatel Lino
Capa: Destiny / Leandro Lemos Oliveira

Todas as citações bíblicas e de terceiros foram adaptadas segundo o Acordo Ortográfico da Língua Portuguesa, assinado em 1990, em vigor desde janeiro de 2009.

1. edição: mar. 2017
1ª reimp.: jul. 2017
2ª reimp.: ago. 2017
3ª reimp.: dez. 2017
4ª reimp.: maio 2018
5ª reimp.: ago. 2019
6ª reimp.: set. 2020
7ª reimp.: nov. 2021
8ª reimp.: maio 2022
9ª reimp.: ago. 2023

Dados Internacionais de Catalogação na Publicação (CIP)
(Câmara Brasileira do Livro, SP, Brasil)

Brunet, Tiago
  12 dias para atualizar sua vida / Tiago Brunet. -- São Paulo : Editora Vida, 2017.

  ISBN 978-85-383-0352-7

  1. *Coaching* 2. Conduta de vida 3. Desenvolvimento pessoal 4. Liderança 5. Mentoria I. Título.

17-01255   CDD-158.1

Índices para catálogo sistemático:
1. *Coaching* : Conduta de vida : Psicologia aplicada   158.1

Sumário

Prefácio 7
Introdução 11

CAPÍTULO 1 Quem é você? 19
CAPÍTULO 2 O poder de um mentor 43
CAPÍTULO 3 O código da sabedoria 61
CAPÍTULO 4 A arte da comunicação 79
CAPÍTULO 5 O *marketing* de Jesus 95
CAPÍTULO 6 Gestão do tempo 109
CAPÍTULO 7 Comportamento 121
CAPÍTULO 8 Ferramentas para uma vida atualizada 141
CAPÍTULO 9 Excelência emocional 157
CAPÍTULO 10 Riqueza inteligente 179
CAPÍTULO 11 Equipes atualizadas 197
CAPÍTULO 12 O que realmente eu quero? 211

Conclusão 225
Referências bibliográficas 229

Prefácio

Plug in! Conecte-se e atualize-se para que a sua vida seja impactante.

Obrigado, Tiago, por estas valiosas ideias que nos ajudarão a desenvolver a nossa liderança.

Na verdade, como você mesmo diz, é de suma importância atualizarmos e fazer um *upgrade* constante para focarmos e crescer em todas as áreas, sendo líderes que buscam impactar positivamente os que estão ao nosso redor.

Para fazermos um *upgrade*, necessitamos de um *plugin*. Quero dizer que devemos nos manter conectados em todos os sentidos, com Deus e com as pessoas, sempre alertas, dando nosso máximo para que realmente sejamos como a luz da aurora que vai crescendo...

Fomos criados para avançar, crescer e subir a novas alturas. A nossa natureza é de crescimento, e isso implica esforço e trabalho duro. Mas o que podemos fazer para conseguir tudo isso?

Uma das primeiras sugestões de Tiago Brunet neste livro, com a qual estou totalmente de acordo, é que busquemos mentoria. Que encontremos alguém que nos oriente, alguém a quem prestarmos contas. Foi justamente isso o que fiz.

Deus colocou no meu caminho pessoas que me ensinaram elementos determinantes para desenvolver a minha vida e a minha liderança.

A primeira coisa que me ensinaram foi buscar a excelência e ter mentalidade de vencedor.

O apóstolo Paulo fala sobre isso ao nos aconselhar para corrermos de tal maneira que ganhemos o prêmio. Em um colégio ou em uma universidade, todos estudam, mas somente um ganha o primeiro lugar e as honrarias. Essa deve ser a sua meta: ser o melhor, ganhar o seu galardão.

Não se conforme em ser somente um participante.

A falsa humildade não serve para nada. Você deve lutar, se esforçar e competir para sentir o orgulho de ganhar. Tudo o que você fizer deve ser excelente. Esteja focado em ser o melhor!

Participar de uma competição é satisfatório, mas ganhá-la é conseguir a verdadeira realização.

Jesus não veio ao mundo somente participar da vida humana e, quem sabe, falhar. Ele veio derrotar e ser vencedor, por isso a morte ficou debaixo de seus pés. Aprenda a ser exigente com os seus resultados, para que a sua liderança cresça a cada dia. Tenha mais desejo de ganhar do que somente de participar.

Outro elemento imprescindível para alcançar um novo nível de liderança é pensar nos outros, estabelecendo objetivos de chegar bem alto para poder ajudar as pessoas.

Você se lembra de Neemias, Ester e Moisés?

Os três ofereceram sua influência a governantes com o objetivo de ajudar a muitos. Eles puseram sua liderança a serviço daqueles que necessitavam e até hoje são lembrados pelas proezas que fizeram.

Inclusive Paulo, o grande líder da Igreja, enfrentou a encruzilhada de escolher e decidiu aquilo que beneficiaria a todos. Sempre que você tiver duas opções, escolha aquela que seja melhor para muitos, e nunca somente para você. Assim, você terá uma vida plena, em constante crescimento, pois estará formatando a sua liderança sobre os fundamentos corretos: o amor e o serviço ao próximo.

Ofereça os seus dons para o bem da maioria. Essa atitude de serviço abrirá portas de influência, porque você colherá o bem que tiver semeado. Tiago Brunet nos explica muito bem esses princípios neste valioso livro.

Alcançar uma vida atualizada, positiva e impactante também requer extensão. Quero dizer, ser flexível, porque nada que é rígido consegue ampliar sua dimensão. Você não acha?

Prefácio

Em contrapartida, quem se estende alcança metas e cumpre seu chamado. Ser flexível implica a humildade de aceitar que ainda nos falta muito que crescer e aprender. Isso é difícil para os jovens, que sempre acham que têm razão e já "sabem tudo", ao contrário dos mais vividos, que com os ensinamentos da vida se convencem de que sempre há algo novo a aprender.

Se desejamos ter uma vida atualizada, conforme Tiago Brunet nos convida a fazer, devemos ser flexíveis. Nunca nos nossos princípios e valores, e sim na capacidade de ver as situações de diversos pontos de vista, sem jamais perder a perspectiva do Senhor.

Quem tem caráter e segurança é capaz de ampliar-se, pois entendeu o valor da flexibilidade.

Outra característica valiosa que descobri naqueles que se esforçam para alcançar um novo nível e tornar-se uma influência sobre os demais é que eles sempre fazem mais do que é pedido.

Jesus veio ao mundo para salvar as ovelhas perdidas da casa de Israel, mas, graças ao seu desejo de fazer mais, ele salvou os gentios, e todos nós fomos beneficiados. O exemplo de Jesus me ensina a sempre dar mais do que me pedem.

Ao atuar dessa forma, quando houver uma oportunidade de promover alguém, seremos os primeiros a ser lembrados por aqueles que notaram a nossa disposição.

Se derem a você a tarefa de estudar três capítulos de um livro, estude quatro. Se o seu horário no serviço é de oito horas, trabalhe nove. A nossa promoção não está naquilo que nos pedem para fazer, mas no extra que oferecemos. Deus é assim: sempre dá mais. Ele dá em abundância, não somente o necessário. Como seus filhos, devemos imitá-lo e fazer mais do que nos pedem.

Tiago Brunet nos oferece ideias assertivas para uma vida atualizada e para uma liderança impactante. Estejamos sempre conectados e atualizados para podermos avançar e desenvolver o nosso potencial.

Não vamos nos deter, já que fomos projetados para fazer proezas.

A nossa vida pode seguir crescendo, e podemos nos tornar uma influência positiva para muita gente, porque Deus nos deu habilidades e oportunidades para fazê-lo.

A partir de agora, você tem 12 dias para atualizar a sua vida e desenvolver todo o seu potencial.

Cash Luna
Pastor de Casa de Dios — Guatemala

Introdução

A cada dia que passa, o mundo muda categoricamente. As transformações são violentas e sistemáticas. Quem dera pudéssemos apertar um botão e nos atualizar, como ao clicar um interruptor que acende a luz. Assim poderíamos entender e conviver neste sistema complexo e passageiro que é a nossa existência.

> *A sua situação atual é parte do seu caminho, não o seu destino.*

A ideia deste livro surgiu quando tentei atualizar o sistema operacional do meu iPhone, tarefa das mais comuns no mundo moderno de hoje. Na verdade, eu não sentia a menor necessidade de atualizá-lo. Mas ela apareceu quando precisei baixar novos aplicativos, que me seriam muito úteis. Só que eles não rodavam na versão que estava instalada no meu aparelho. Foi então que me senti obrigado a atualizar o sistema.

Na tentativa de fazer o *upgrade* da versão 7.1 para a 8.1, fui surpreendido com algumas negativas. Primeiro, recebi uma notificação informando que não era possível atualizar, pois o telefone não tinha espaço suficiente na memória. Você já percebeu que, na vida, algumas coisas também são assim? Antes de alcançar o objetivo, às vezes é preciso solucionar imprevistos.

Foi o que comecei a fazer. Primeiro, baixei o conteúdo que estava no aparelho para um programa (iCloud) e então liberei espaço para o novo.

Sem "espaço", é impossível fazer qualquer atualização.

Quanto mais informações você recebe neste processo, mais espaço será necessário no "disco rígido" (o seu córtex cerebral).

Leve em conta que fazer uma varredura na mente e se livrar do "lixo" é uma exigência primária para a atualização. Agora, é preciso perguntar a si mesmo: você fica à vontade em apagar coisas antigas para abrir espaço ao que é novo? Pense bem.

Depois, recebi uma segunda notificação. Dizia que eu não poderia atualizar o sistema, pois tinha menos de 50% da bateria carregada. Eu já havia contornado um imprevisto. Agora, era a vez de outro. Para dar sequência ao que eu queria, seria preciso carregar o aparelho.

Sem bateria, sem chance!

Está enganado quem pensa que este simples evento não tem relação com o nosso dia a dia. A inteligência emocional e a neurociência já nos provaram que a saúde psíquica determina o nível da sua qualidade de vida. Por isso, sem excelência nesta área, jamais conseguiremos entrar em um processo de atualização. A "bateria" é a sua saúde física e emocional.

TECNOLOGIA TEM VALIDADE

Outro fato interessante foi o avanço da velocidade da Internet, do 3G para o 4G (imagino alguém lendo este livro daqui a dez anos e tentando entender o que é 4G, consultando livros de história). Eu acreditava que era apenas uma pequena mudança e não dei importância para esta nova possibilidade.

Contudo, entendi, ao perder velocidade em relação aos mais produtivos do que eu, que os inflexíveis e orgulhosos odeiam mudanças e acabam se transformando em engenheiros da decadência. Definitivamente, eu não queria ser um deles. Atualizei-me. Fui atrás do novo.

Nunca se esqueça: um lápis quebra mais rápido do que uma borracha. A madeira parece mais forte. No entanto, a diferença entre eles está na flexibilidade. Quanto mais rígido for o material, maior é a chance de ser quebrado.

O mundo não só mudou, como continua neste processo acelerado de transformação. Os valores entraram em colapso e estão lutando por uma

Introdução

adaptação ao novo mundo. As mudanças atuais têm sido sistêmicas e significativas como nunca na humanidade.

Os sistemas financeiro, econômico, político, militar, social e educacional estão buscando uma nova identidade. Nada é como antes.

O portal Alibaba, o varejista virtual mais valorizado do mundo, não possui nenhum produto em seu estoque.

O *Facebook*, a maior empresa de mídia do mundo, não produz nenhum conteúdo. Nada do que parece realmente é. Esta geração é enigmática e difícil de ser decifrada.

A minha filha, de 6 anos, domina mais ferramentas do iPad do que eu. Já o meu pai, de mais de 60 anos, ainda está aprendendo a manusear um iPhone.

De uma geração para a outra, tudo se transforma. No mundo de hoje, dobra-se a quantidade de informação a cada três anos. Antigamente, isso levava décadas. Uma criança com 7 anos tem mais informações em seu córtex cerebral do que um imperador na Roma antiga.

A comparação entre o avanço da tecnologia e a liderança é pertinente, pois por meio destas analogias podemos entender melhor os dias em que vivemos.

Atualizar a sua liderança não é uma questão de *status*, e sim de sobrevivência. Mas, para nos atualizarmos, temos de seguir as regras do *upgrade*.

Nas classes de uma universidade nos Estados Unidos, há alguns anos, eu refletia sobre o que realmente significava ter uma vida abundante e plena. Eu já me havia cansado das explicações tradicionais e das repetições dos *best-sellers* de liderança e de autoajuda. Comecei a me desesperar em busca de algo novo.

Queria me aprofundar neste sistema que rege o mundo.

Entrevistei mais de 100 líderes de diferentes países e segmentos para descobrir algumas coisas que compartilho neste livro.

Encontrei-me em uma aula do doutorado em Philosophy of Business Administration, e o assunto era "A mudança da gestão no século XXI".

Perguntei a um colega de turma sobre como ele avaliava a liderança mundial e a humanidade nos dias atuais. Ele respondeu: "Desatualizados".

A resposta dele funcionou para mim como o clique que acende a lâmpada de um quarto escuro.

Muitos líderes não perceberam que a população em geral desenvolveu um novo grau cognitivo e agora tem a capacidade de aprender e absorver informações. Isto é tão verdade que, hoje, as pessoas já não aceitam qualquer produto, ordem, instrução ou imposição. Tudo está em constante mudança. Elas estão mais informadas, mais exigentes.

Muitos "chefes" não se deram conta de que os funcionários já não obedecem a hierarquias impostas. Agora, eles as reconhecem ou não.

Parece que muitos líderes, e eu me refiro a todos os segmentos (políticos, empresariais, executivos, religiosos, militares e sociais), ainda não conseguiram registrar que seu próprio público está diferente.

Sendo assim, pergunto: como guiar esta geração se ainda utilizamos métodos ultrapassados?

Impossível!

Uma atualização é a ponte entre o hoje e o futuro!

Muitos insistem em liderar da mesma maneira, mas as pessoas já estão em outro padrão de "ação-reação".

Como reagir a essa nova era?

Recentemente, conversando com um almirante, o cargo mais alto da Marinha do Brasil, fiquei surpreso com uma declaração dele:

— Meu jovem, os nossos soldados estão estranhos ultimamente. Já não temos a autoridade de antes. Muitos nem nos respeitam como deveriam. Outros, por qualquer motivo, pedem baixa do serviço militar e pronto. Estamos perdidos. Desorientados.

Mesmo sem saber a resposta e qual seria o melhor caminho a seguir, o nobre almirante tinha identificado o problema. Mas eu respondi de pronto:

— Caro almirante, não foram os seus soldados que mudaram. O mundo mudou!

Como *coach*, tenho ministrado treinamentos e cursos em todo o Brasil e América Latina. Muitos desses cursos são realizados em igrejas e instituições cristãs. Pastores e padres têm a mesma reclamação: "A igreja está esvaziando".

Introdução

Uns correm para outras opções religiosas (geralmente da mesma fé), e outros ficam apenas em casa, decepcionados.

(O que esvazia absolutamente não é a religião, e sim a instituição. O cristianismo nunca parou de crescer desde a sua fundação.)

— Os fiéis não acreditam mais em tudo o que dizemos. Estamos sempre tendo de inovar, senão perdemos a todos — declarou um pastor.

Estima-se que hoje em dia há mais cristãos "em casa" do que dentro de igrejas e instituições.

Muitos dos que estão no comando desenvolveram sua liderança sem inteligência emocional. E isso dividiu corporações, religiões e sistemas de governo. Famílias estão quebradas em consequência disso.

Vivemos na década mais informada da História. Não é fácil conviver com tantos dados e opções. Até mesmo porque muitos deles são inúteis.

Quero dizer: recebemos diariamente informações que nunca serão aplicadas na nossa vida.

Por isso, informação não é conhecimento. Mas pode se transformar em conhecimento, se for correta e praticada com excelência.

O objetivo deste livro é elevar você a um novo padrão de vida. Liderar a si mesmo é o primeiro passo dessa atualização.

Uma "vida atualizada" é a minha proposta para a caminhada por essa estrada mal sinalizada que é a nossa existência.

Chegou a era dos treinadores e mentores. Chegou a hora de cada líder que passou por este processo de atualização tomar seu lugar. Ser mentoreado e mentorear. Ser treinado e treinar.

Os "atualizados" são medidos por resultados. No entanto, não apenas pelos seus próprios resultados, mas também pelos resultados de sua equipe. Fantástico, não?

Isso quer dizer que somente treinando pessoas e fazendo-as prosperar é que você terá sucesso. Aquele chefe que olha o subordinado de cima para baixo e que dá ordens sem ensinar é uma figura cada vez mais presa ao passado.

Nos últimos cinco anos, viajei por mais de 30 países estudando e pesquisando sobre liderança. Na Índia, aprendi sobre fé cultural; no Japão, sobre honra; nos Emirados Árabes, sobre excelência; nos EUA, sobre estar sempre à frente; e em Israel, sobre inovação e superação.

Um pouquinho de cada nação ficou dentro de mim. Cada estilo de liderança contribuiu para o que escrevo.

Em alguns desses países, dei palestras e cursos sobre o assunto. Porém, sou um eterno aprendiz. Essa é uma lição que precisamos guardar.

Tenho muita fome de conhecimento. Sou daqueles que ama aprender, mas depois me sinto obrigado a ensinar. Por isso, escrevo livros: para poder compartilhar as lições boas e produtivas que colho por aí.

Nesta obra, tentarei passar um conteúdo empírico e acadêmico para você. Assim, a sua mente vai se abrir para este novo tempo. O tempo da atualização.

Descobri que quem não governa a si mesmo, não conseguirá governar mais nada. Precisamos ser líderes de nós mesmos.

O desafio está lançado!

NOVOS CONCEITOS DE LIDERANÇA

Em junho de 2015, iniciei um treinamento para líderes de diversos segmentos na cidade do Rio de Janeiro, no Brasil. No primeiro dia, perguntei aos presentes como eles definiriam *liderança*.

Essa pergunta mexe com as pessoas. Todos se alvoroçaram, querendo mostrar que também pensam no assunto. Uns gritaram: "Liderar é influenciar", "é gerir", "é definir papéis", "liderar é motivar"!

Ouvi com atenção, e eles, sem saber, forneceram muito material para trabalharmos naquele dia. Comecei explicando, pelo meu modo de ver, que o que se ensina sobre liderança hoje em dia, em parte, está defasado. Se você escutar os chamados grandes mestres da liderança, notará que os discursos deles são semelhantes, quando não os mesmos, dos que eram feitos trinta anos atrás.

Estive recentemente em uma conferência para líderes na Flórida, nos EUA, e uma renomada autoridade no assunto "liderança" era um dos preletores. Ele ensinou a centenas de participantes que liderança é influenciar e motivar.

Concordo. Mas apenas em parte.

Nesse treinamento no Rio de Janeiro, perguntei aos ouvintes: "Quem influencia mais? O líder desta instituição ou o Neymar, atacante da seleção brasileira de futebol?".

Todos, quase ao mesmo tempo, responderam: "*Neymar!*".

A resposta me agradou, e prossegui: "Quem tem mais seguidores nas redes sociais? Quem determina a moda? Quem fatura mais? Quem tem mais capacidade de convencer o país de algo? Agora, comparem Neymar com o maior líder empresarial, religioso ou político do país. Quem influencia mais?".

E todos, mais uma vez unânimes, gritaram: "*Neymar*".

Eles estavam certos e prestes a entender como o mundo mudou. Perguntei então: "O Neymar é líder de quem e do quê?".

Silêncio na plateia.

Bom pessoal, se liderar fosse teoricamente influenciar, o Neymar teria de ser um líder. De certa forma (bem pequena), ele é, já que na seleção brasileira chega a usar a braçadeira de capitão.

No entanto, há muitos líderes que não chegam a 1% da influência desse jogador.

O que motiva um liderado no mundo de hoje não é mais o tapinha nas costas ou um bônus no final do ano.

> **Nada influencia tanto o ser humano como torná-lo parte de um grande projeto.**

Falaremos mais sobre isso à frente.

Talvez tenha chegado a hora de revermos o que é liderança. Você pode se encaixar no novo modelo ou continuar como está e ficar para trás. Mas decida isso rapidamente. Pois, como leremos no capítulo sobre a gestão do tempo, cada minuto vale muito!

Veremos nas páginas seguintes que uma vida atualizada sabe qual é a sua *visão*, *missão* e *propósito*.

VISÃO

O que é isso para o "atualizado"? É o futuro; é como você se vê daqui a dez ou vinte anos.

Para muitos, o futuro já chegou, e eles não souberam o que fazer com isso. Pois, mais importante do que ter visão, é ser treinado para ela.

MISSÃO

É o próximo passo. Aquilo que você deve fazer diariamente para que o futuro chegue no prazo determinado.

PROPÓSITO

É a sua **ICP — ideia central permanente**: aquela que, independentemente do projeto ou fase da vida em que você esteja, domina seu coração. Uma ideia que é o centro de todas as outras ideias da sua vida. E, mais, ela é permanente. Para sempre. Isso é propósito!

Vá se acostumando com essas ideias. Elas fazem parte do início do novo rumo da sua vida. Mais para a frente, aprenderemos tudo isso com detalhes.

Logo você saberá exatamente o que precisa fazer para ser um líder (ainda que seja de si mesmo) neste mundo em franca evolução.

Guarde também esta frase:

Uma vida atualizada não perde tempo tentando ser melhor que os outros, e sim investe tudo o que possui para ser melhor do que ela mesma.

Entendeu? Então decida quem é você e escolha de qual lado você está.

A partir de agora, serão 12 capítulos. Leia um capítulo por dia, e o seu botão de *atualizar* será apertado.

Doze dias para mudar e melhorar a sua vida!

Tenho fé de que você estará 100% atualizado ao findar esta leitura.

Paz e prosperidade,

Tiago Brunet
Setembro de 2016

QUEM É VOCÊ?

Capítulo 1

"Eu pensava que nós seguíamos caminhos já
feitos, mas parece que não os há.
O nosso ir faz o caminho."

C. S. LEWIS

ATUALIZANDO...

ICP — IDEIA CENTRAL PERMANENTE

Antes de saber tudo o que está por vir, você precisa responder: Quem é você?

Uma vida atualizada tem identidade, propósito e destino.

Lembro-me perfeitamente de um evento internacional que aconteceu quando eu tinha 8 anos. Horas antes desse evento, a minha mãe, enquanto me arrumava, disse-me: "Hoje veremos um homem pregar a Palavra de Deus em inglês".

Vivíamos no subúrbio do Rio de Janeiro na época, e a igreja ficava bem perto da nossa casa.

Pedi a meu pai que fôssemos cedo, pois eu queria sentar na primeira fileira. Até hoje não sei explicar, mas eu estava bastante ansioso naquele dia.

E assim foi feito. Quando chegamos, conseguimos um lugar bem próximo à plataforma. Foi quando entrou aquele homem negro, grande e vestido de terno. Ele era de Trinidad e Tobago, uma ilha da América Central, na qual o inglês é o idioma oficial.

Quando ele começou sua exposição, os meus olhos brilharam. Eu desejei profundamente aquilo: falar em público sobre as coisas transcendentais, ajudar e motivar as pessoas e, se possível, fazer tudo isso em outros idiomas.

No meio da exposição, o homem tirou o paletó, pois o calor era insuportável e ele transpirava demasiadamente. Então corri até a plataforma e me ofereci para guardar o paletó. Ele sorriu, levantou as mãos e disse: "Aquilo que você desejou e pediu a Deus hoje, ele dará". Eu me alegrei muito com essa palavra, que entrou como uma flecha no meu coração.

Vários acontecimentos posteriores confirmaram que, mais cedo ou mais tarde, isso aconteceria, caso eu não me desviasse de minha ICP — ideia central permanente, ou seja, do meu propósito na terra.

Vinte e sete anos depois daquele episódio, é só isso o que faço na minha vida. Viajo pelo mundo levando a verdade na qual acredito. E em vários países diferentes pude compartilhá-la falando em outros idiomas.

Mas os vinte e sete anos até o "futuro" chegar foram de intenso e duro treinamento.

Alguns, vendo de fora, poderiam chamar de problemas. Mas, ao que você chama de problema, Deus chama de treinamento.

O ataque de um leão e de um urso para muitos é um problema; para Davi, foi um treinamento. Lutar contra o gigante Golias também foi um treinamento, e posteriormente Golias revelou ser o passaporte de Davi para o palácio.

O nosso destino pode ser revelado, mas o caminho até lá jamais o será. Imagine se José do Egito soubesse de tudo o que teria de passar para que seu destino se cumprisse?

Naquele sonho dado por Deus, ele vislumbrou seu futuro, mas não tinha a mínima ideia do processo, do passo a passo.

Deus mostra o destino, mas nunca revela o processo.

Imagine o seguinte diálogo com Deus:
— José, você vai governar!
— Uau! Obrigado, Deus. Isso é bom!
— Mas, José, os seus irmãos de sangue, aqueles que cresceram com você, que comeram à sua mesa, aqueles que deveriam ser exemplos por serem mais velhos, eles trairão você por inveja e o venderão como escravo para mercadores ismaelitas. Você deixará de ser o filho querido do papai, que hoje tem de tudo, para padecer com os abusos e sofrimentos de um escravo. Depois, você acabará sendo vendido de novo para um homem influente no Egito, mas a mulher dele o difamará e falará coisas mentirosas sobre você. Então, você será preso debaixo de muita fúria. Mas não se preocupe, José, será somente por alguns anos. Lá na prisão você resolverá um importante caso, mas se esquecerão de você e o abandonarão naquele cárcere sujo por mais dois longos anos.

José provavelmente responderia:
— Senhor, eu estava pensando aqui... Tenho muita coisa para fazer na casa de papai; cuidar do rebanho dá trabalho. Preciso estar aqui. Afinal, estamos falando sobre Jacó, não posso abandoná-lo. Sendo assim, não vai dar não, Deus. Mas obrigado. Que tal tentar com Rúben, um dos meus irmãos?

Quem é você?

Você acredita que alguém aceitaria seu destino sabendo do caminho que iria atravessar?

Pare e pense no que você já passou para chegar até aqui, até o dia em que você está lendo este livro.

José foi ele mesmo e revelou seu propósito de vida, sua missão, o cumprimento daquele sonho profético em *todas* as etapas de sua vida.

Ele não esperou o trono do faraó para governar e cumprir seu chamado. Na casa de Potifar, general do exército egípcio na época, José governava; na prisão, ele governava. Onde era colocado, ele exercia governo.

E você?

Conheço muitas pessoas que esperam o dia em que a promessa se tornará realidade, para só então manifestarem seu destino. Mas, historicamente falando, não é assim que funciona. Você é o que é, independentemente da etapa de vida que está vivendo. Um cantor não precisa fechar contrato com uma gravadora para manifestar seu chamado. Um líder não precisa de um título para liderar. Basta um grupo de pessoas se perder na floresta que em quinze minutos o verdadeiro líder aparecerá.

Quem é você?

Você não é o que dizem a seu respeito. Isso seria apenas a sua reputação. Você é aquilo que faz quando ninguém está olhando. A isso chamamos de integridade.

> *Reputação é o que falam de você. Integridade é o que você é quando ninguém está olhando.*

Prefira ser íntegro a ter apenas uma boa reputação.

Às vezes, as duas coisas podem andar juntas. Mas haverá momentos na sua vida em que você terá de escolher. Foi o caso do próprio José do Egito. Quando a mulher de Potifar tentou seduzi-lo, ele poderia deitar-se com ela e manter sua boa reputação; afinal ele era bem falado na casa, e ela jamais contaria o caso a ninguém.

QUEM É VOCÊ?

Certa vez, eu ministrava um curso de liderança, na Flórida, nos EUA, para um grupo de pastores latinos, quando propus uma dinâmica.

Amassei uma folha de papel, dando-lhe a forma de uma bola. Fiz que os 18 participantes se posicionassem em círculo, entreguei a bolinha na mão de um deles e expliquei:

— O exercício é simples. Esta bolinha é uma vida. Ela deve passar de mão em mão até voltar às mãos do primeiro que a passou. Apenas gravem para quem você jogou a bolinha, pois quando repetirmos o exercício terá de ser na mesma ordem.

Eles começaram a dinâmica, e a bolinha passou de mão em mão até que voltou para o primeiro líder que a tinha jogado. Tudo se passou no total de vinte e oito segundos.

Então, passei o segundo comando do exercício:

— Esta bolinha, como eu disse, é uma vida. Ela não pode cair no chão e, o pior, ela está entrando em colapso: temos sete segundos para salvá-la. Vocês terão de passá-la de mão em mão, na ordem que fizeram da primeira vez, tudo isso em sete segundos.

Foi aí que começou a nossa observação. Bastam dois ou três minutos para identificarmos quem é quem em uma situação como essa.

Uns começaram a falar: "É impossível, não vai dar!".

Outros ficaram parados, só olhando, enquanto o grupo, eufórico, discutia as possibilidades.

Alguns ficaram só dizendo: "Vai dar certo; tenham fé", mas não se moveram nem sugeriram estratégias.

Porém, nessas ocasiões sempre há um ou dois que assumem o controle, sem que ninguém os tenha nomeado, e que começam a passar coordenadas.

Enquanto isso, eu rodeava o grupo, aconselhando:

— Calma, é possível. Um grupo maior que vocês e com deficientes físicos conseguiu fazer em seis segundos. Vocês também conseguem. Usem a gravidade a seu favor!

Quando eles escutaram que um grupo com mais pessoas, e que incluía alguns deficientes físicos, tinha conseguido cumprir o desafio, eles se animaram e começaram a tentar com mais fervor.

Porém, apenas dois participantes escutaram a minha sugestão de usar a gravidade a favor deles.

Na verdade, essa dica era a solução do problema. Mas nem todos escutaram.

Quando a dinâmica terminou, eu lhes disse:

— Pessoal: primeiro, nunca apliquei este exercício em um grupo maior e com deficientes. Mas falei isso para inspirá-los e consegui. Segundo, vimos aqui como vocês reagem diante dos desafios da vida. Uns ficam apenas olhando. Outros gritam que é impossível. Outros dizem que até é possível, mas não se movem. E outros tentam, encontram caminhos, promovem mudanças, escutam o grupo e passam as coordenadas.

Finalizo perguntando aos senhores líderes: Quem são vocês?

A SUA EXISTÊNCIA

Depois que você partir deste mundo, as pessoas não se lembrarão de quem você achava que era, mas, sim, de quem você foi aos olhos delas.

"À mulher de César não basta ser honesta; ela tem de parecer honesta", diz um famoso ditado romano.

Às vezes, somos alguém, mas as pessoas ao redor nos veem de modo completamente diferente do que somos. Não basta ser; temos de mostrar quem somos. As pessoas não leem a nossa mente; apenas veem as nossas atitudes. Logo, não somos o que pensamos; somos o que fazemos.

A nossa filosofia interna precisa ser coerente com as nossas ações externas para que tenhamos uma identidade consistente.

Alguns se dizem católicos, mas a conduta diária dessas pessoas não condiz com a doutrina da igreja que elas frequentam. Outras têm aparência de judeus, mas nem sequer guardam o *shabbat* ou comem *kosher*. Ainda existem aqueles que se dizem evangélicos, mas a última coisa que identificamos neles é a presença do evangelho, conforme descrito nas Escrituras.

Quero dizer que nem sempre realmente somos o que divulgamos ser e nem sempre divulgamos quem realmente somos.

Primeiro, descubra quem é você de verdade e depois projete aquilo em que você gostaria de se tornar.

Geralmente, vivemos como gostaríamos de viver e não atentamos para a realidade. Por isso, muitos gastam mais do que ganham, mentem para seus amigos a fim de serem aceitos e vendem uma felicidade irreal nas redes sociais.

O mundo mudou!

As mudanças nos dias atuais são tão agressivas que somente nos sacrificando em constantes atualizações saberemos conduzir o barco neste mar bravio.

Uso a palavra "sacrificar", pois atualizar-se é algo doloroso. Quem aprendeu a digitar em máquina de datilografar e hoje precisa usar o computador sabe do que estou falando.

DOR QUE GERA FRUTOS

Perceba que sacrificar-se não é sofrer. A diferença é que o sofrimento produz uma dor que morre em si mesma, que não serve para nada. Já o sacrifício dá fruto em meio às dores.

Esse fruto, uma vez em mãos, tem o poder de apagar toda dor do processo. Veja o caso de uma mulher grávida. Em nove meses, o corpo dela fica deformado: nariz e pés inchados, 30 quilos acima do peso, surgem dificuldades para dormir, pois não há posição que dê conforto. Ir ao banheiro de cinco em cinco minutos é quase obrigatório. E, por fim, chega a maior das dores, o parto.

A mamãe teve nove meses de sacrifício, não de sofrimento. Ao ter o bebê em mãos, ela já não se lembra das dificuldades e dos incômodos para chegar até ali. A prova disso é que, geralmente, a mulher tem outros filhos.

Não classifique a sua vida pelas dores que você sentiu, mas diferencie sofrimentos de sacrifícios. A dor é aliada da prudência. A dor nos modela, mostra quem somos.

Não devemos fugir das dores; devemos aprender com elas. Triste mesmo é uma pessoa lidar com a dor por meio do sofrimento, não do sacrifício.

Veja a dor de um atleta. Ele treina pesado diariamente, durante anos, visando a Olimpíada. Ele abre mão de comer um delicioso churrasco com os amigos em um fim de semana prolongado na praia. Seu sono e sua alimentação são regulados.

Essa dor está relacionada ao sacrifício, não ao sofrimento. Pois, quando a medalha é colocada no peito do atleta, surge o sentimento de que tudo valeu a pena. Após o êxtase da vitória, ele volta aos pesados treinamentos esperando a próxima competição.

Não sair para comer com os amigos no fim de semana, no intuito de economizar dinheiro para investir em alguma meta, não é sofrimento, mas sacrifício. Afinal, um dia o fruto chegará!

Esse é o tipo de dor irrefutável. A dor que gera frutos. Como eu disse anteriormente, é a que nos modela. Faz-nos ser. A nossa existência é repleta de dores. A forma pela qual você irá interpretá-las a partir de hoje definirá o seu destino.

A verdade é que precisamos de um lugar ao qual levar as nossas perguntas sem respostas. As nossas confusões mentais.

Dentro de nós, raramente encontramos respostas, segurança e sanidade. Sendo assim, recorremos às ofertas do mundo exterior. Alguns as encontram na religião. Outros, nas drogas, na prostituição e no jogo.

Independentemente de quanto isso nos afeta, a dor, na verdade, é um sinal de vida. É a prova de que o corpo ainda detém a capacidade de sentir. A dor não é o fundo do poço; é o início de algo novo. Ninguém continua o mesmo depois de superar uma dor.

As dores deixam feridas. Mas a boa notícia é que uma ferida pode se transformar em cicatriz.

São as cicatrizes que comprovam que vencemos, não as feridas. Feridas abertas apodrecem.

Quando Jesus mostrou as cicatrizes em suas mãos e em seus pés, Tomé acreditou que aquele sujeito diante dele era, de fato, o Jesus que fora crucificado dias antes. As nossas cicatrizes nos garantem a credibilidade necessária para adentrarmos em um novo tempo.

Porém, há feridas tão profundas que transgridem a nossa identidade.

Philip Yancey, escritor americano de *best-sellers*, que se dedica à militância cristã, escreveu o livro *Para que serve Deus?*[1] A obra reúne entrevistas realizadas com dezenas de prostitutas em razão de uma campanha de evangelismo que Yancey fazia em Green Lake, cidade do estado americano de Wisconsin. O resumo de tudo o que ele escutou levou-o a crer que essas mulheres, que às vezes criticamos, julgamos e condenamos, são vítimas de abusos tão profundos na infância que sua identidade é arrebatada a ponto de elas nunca mais a encontrarem.

Por isso, é impossível um ser humano julgar o outro. Ninguém conhece a dor que ficou para trás. Ninguém sabe a história do início ao fim.

As pessoas em geral se conectam com sua dor, sua superação, nunca com suas regalias.

Em um mundo no qual as mudanças são rápidas e inevitáveis, o negativismo tem seu lugar de destaque, a ponto de não sabermos mais lidar com a esperança.

Mario Sergio Cortella, filósofo e teólogo brasileiro, diz em suas palestras que devemos ter esperança, mas no verbo correto. Esperança do verbo "esperançar", não do verbo "esperar".[2]

Por isso, a importância de lidar com a dor, ter esperança de que tudo passa. Pois será por meio delas que pessoas se conectarão a você.

Como assim? Você deve estar se perguntando.

Eu explico.

Há dez anos, quando eu me dedicava aos negócios no ramo do turismo internacional, o sucesso fazia parte da rotina. Muitas pessoas gostavam de mim, mas nem todas se conectavam comigo. A minha realidade

---

[1] 2. ed. São Paulo: Mundo Cristão, 2010.
[2] CORTELLA, Mario Sergio. **Um desafio necessário**. Palestra no Seminário de Gestão do Conhecimento. São Paulo, 2016.

não permitia isso. Eu vivia de avião em avião, celebrava os negócios publicamente e sempre tinha histórias vitoriosas para contar.

Eu estava sempre cercado de gente, mas a minha existência era indiferente. Quem eu era não tinha significado para os outros. Apenas o que eu tinha importava. Mas não os julguem!

Eu é que vendia essa imagem. E as pessoas não se conectam com as suas regalias e a sua vida boa. Elas apenas se interessam por isso.

QUE IMAGEM VOCÊ ANDA VENDENDO?

Certa vez, sem aviso, o dia triste chegou!

A minha empresa quebrou por um acúmulo de situações mal resolvidas. Imagine aquela companhia que comecei com apenas R$ 7 no bolso, colocando gasolina num carro emprestado para chegar a uma feira de turismo no Rio de Janeiro; aquela empresa que havíamos construído tijolo a tijolo e que havia virado uma referência no mercado; cinco anos depois de sua abertura, agora ela estava arrasada, escorrendo pelas minhas mãos.

Senti-me envergonhado, impotente, fraco e falido.

Logo as dores vieram. E não foram poucas. Enfrentei noites sem dormir, cobranças, medo e insegurança.

Usando a inteligência espiritual para discernir o processo que eu estava atravessando, resolvi assumir toda a responsabilidade. Percebi que não deveria mais terceirizar o meu destino, e sim assumir o controle da minha vida. Afinal, são as nossas decisões que modelam o nosso futuro.

Como bem dizia Alexander Pope (1688-1744), escritor britânico do século XVIII: "Um homem nunca deve se envergonhar de admitir que errou".

Admitir que nem tudo o que você fez até hoje na vida foi correto e que você precisa recalcular a rota da sua caminhada na terra não é só uma questão de inteligência, mas de decência. E assim fomos superando, passo a passo, mês a mês, conta a conta, até que, finalmente, aquele período difícil passou.

Adivinhe.

Quando tudo acabou, eu tinha mais do que amigos. Ganhei irmãos. Entendi aquele versículo que diz: "O amigo ama em todos os momentos; é um irmão na adversidade" (Provérbios 17.17).

Quando perguntei aos que se juntaram a mim naquele turbulento período — hoje fiéis escudeiros — por que eles tinham ficado ao meu lado, por que haviam lutado comigo, todos foram unânimes em responder: "A sua superação, a sua dor, o seu jeito de não desistir e a sua fé nos fizeram ficar".

Antes, o meu sucesso não prendia ninguém, mas a minha dor sim?

Eu estava confuso, porém feliz!

Não podemos confundir erro com negligência. O erro deve ser corrigido. A negligência deve ser punida.

Não tenha medo de errar, mas tema ser negligente. As pessoas à sua volta sabem diferenciar isso. Elas conseguem até lidar com o seu erro, mas não com a sua negligência.

Sim, caro leitor, as pessoas se conectam com a sua dor e superação.

Imagine que em uma festa apresentem a você um jovem, e este conte a você os milhões de reais que faturou no ano, os carros que comprou, as viagens que fez e quanto investiu em seu negócio herdado do pai. Não há nada de errado nisso, porém dificilmente vamos nos sentir confortáveis com essa história.

Não somos programados psicologicamente para isso.

Contudo, imagine que, na mesma festa, outro jovem seja apresentado a você e compartilhe que, depois da morte dos pais, ele teve de ir morar na rua para não continuar sofrendo abusos na casa do próprio tio. Ainda assim, sem nenhuma estrutura familiar ou emocional, ele resolveu continuar estudando. Às vezes, mesmo passando três dias sem comer, não deixava de ir à escola e de se esforçar nas aulas extracurriculares, como o inglês.

Após fazer a prova de vestibular, ele descobriu que alguém tinha vendido a vaga que conquistou a um adolescente rico da cidade, e, mais uma vez, a injustiça bateu à sua porta.

Ele não desistiu, fez prova para outra faculdade e passou. Ao se graduar, agradeceu pelo emprego no posto de gasolina em que trabalhava de madrugada para pagar os materiais de estudo. Agradeceu a Deus por tê-lo mantido com vida. E hoje, aos 35 anos, é procurador de Justiça e líder comunitário que ajuda centenas de crianças a terem um futuro.

Com qual dos dois jovens você se conectou?

COMO TERMINARÁ A SUA VIDA?

As pessoas nunca vão se lembrar de como você começou. Apenas de como terminou.

Pense comigo: se um esposo for 100% fiel durante quarenta anos de matrimônio, mas tiver um infarto e morrer durante a única infidelidade conjugal de sua vida, como os outros irão se lembrar dele?

As pessoas nem sequer se recordarão dos quarenta anos em que ele foi um fiel marido e um excelente pai. E ele apenas será conhecido como o infiel que foi "castigado" por seu pecado.

Já dizia Salomão, rei de Israel: "O fim das coisas é melhor que o seu início" (Eclesiastes 7.8).

Como seria a história de Martin Luther King Jr. (1929-1968), o pastor batista negro que lutou pela igualdade de direitos entre negros e brancos em uma época de profunda segregação nos Estados Unidos, se ele não tivesse sido assassinado no auge de seu propósito?

Seu fim perpetuou sua vida.

A cada dia que vivemos nos preparamos para o fim. Não é uma visão pessimista; é realista. A nossa existência só é possível por causa da vida e da morte. E a morte nos apressa a empreender a vida.

Trabalhe apaixonadamente hoje para que seu fim seja melhor do que o seu começo. Pois é dessa forma que todos se lembrarão de você.

IDENTIDADE

As questões filosóficas mais citadas — desde Platão — sempre estão relacionadas à identidade.

Uma célebre frase do filósofo grego Sócrates é: "Conhece a ti mesmo".

Para a filosofia e também para a teologia, descobrir quem é você e desvendar o seu destino são bases para a construção da identidade.

Perguntas como "Quem sou eu?", "Para onde vou?" e "De onde vim?" revelam que o ser humano, desde a Antiguidade, tem uma sede insaciável pela descoberta do verdadeiro eu.

Você é formado por influências internas e externas, elo aglomerado de suas vivências e experiências como indivíduo. O temperamento, o convívio e a estrutura familiar, a religião e a cultura também são determinantes para isso.

Mas então como perdemos a identidade?

Cientificamente, por um trauma ou mutação no sistema biopsíquico.

Os traumas que manipulam a nossa identidade, geralmente, foram ocasionados na infância.

Entre 2012 e 2016, fui ao Japão algumas vezes ministrar treinamentos de liderança em cidades próximas a Tóquio. Lembro-me de que, na última viagem, ao findar de uma palestra, uma jovem japonesa se achegou e começou a contar sua história de superação, que envolvia até uma tentativa de suicídio. Ela encontrou na fé cristã a resposta que procurava.

Contudo, ao perguntar como fora sua infância, surgiu a revelação de um trauma. Ela fora "órfã de pai vivo", padecera sem amor da mãe desorientada por distúrbios psiquiátricos e sofrera abusos físicos do irmão, tudo isso antes dos 8 anos.

Esse conjunto de acontecimentos fez a jovem buscar uma "nova identidade" para ser aceita fora de casa e sair daquele "inferno" o mais rápido possível.

Ela passou a se prostituir a partir dos 15 anos e tentou suicídio aos 16.

Estudando casos como esse, percebi que aconteceu uma mutação no sistema psíquico e espiritual da humanidade. É complexo de entender, porém me permita tentar explicar.

Vivemos em uma geração transgênica.

A mídia, a TV, a política, a cultura e uma falsa religião sabotaram o nosso DNA para que nos tornássemos próprios para consumo.

Transformaram-nos em um número.

VOCÊ SABE O QUE SÃO TRANSGÊNICOS?

Por exemplo, os alimentos transgênicos são geneticamente modificados com o objetivo de melhorar a qualidade, aumentar a produção e gerar mais... lucro. Por meio de algumas técnicas, são implantados fragmentos de DNA de bactérias, vírus ou fungos no DNA em plantas, alimentos ou animais.[3]

---

[3] Alimento geneticamente modificado. **Wikipédia**. Disponível em: <https://pt.wikipedia.org/wiki/Alimento_geneticamente_modificado>. Acesso em: 22 jul. 2016.

Quem é você?

Recentemente, no canal de TV mais famoso do Brasil, foi exibida uma reportagem sobre o salmão transgênico. Como esse tipo de peixe tem sido muito solicitado nos restaurantes, produtores resolveram modificá-lo em laboratório para que ele crescesse mais rapidamente do que o normal, engordasse mais facilmente do que o natural e estivesse apresentável e próprio para consumo em tempo recorde.

Mas o efeito colateral, se assim podemos chamar, é que muitos transgênicos são estéreis, ou seja, esse salmão jamais será capaz de se reproduzir naturalmente. (Destaquei "esse salmão" para deixar claro que nesse caso o animal é estéril, pois foi assim modificado, entretanto muitos outros animais transgênicos se reproduzem normalmente.)

É assim que temos vivido: expostos à TV, não a bons livros; à religião, não ao evangelho. Alteraram o DNA natural e divino com o qual nascemos para que pudéssemos crescer, prosperar, ficar lindos e próprios para consumo. O único problema é que nos tornamos estéreis. Jamais iremos frutificar!

Você já experimentou as deliciosas uvas sem caroço fabricadas em laboratório?

São lindas e imunes às pragas. Deliciosas para o consumo, mas não possuem sementes. Vão morrer em si mesmas.

Existem, porém, pessoas que potencializam o DNA divino que há em todo ser humano e conseguem amar em um mundo de ódio. Esta genética perfeita, apesar de ter de lutar contra pragas e nem sempre ser a mais bonita e deliciosa, permite-nos reproduzir e frutificar.

Eu gostaria que este primeiro capítulo do livro fosse mais filosófico. Por isso, não planejo explicar o que escrevo; apenas aguçar a sua imaginação e o provocar a pensar.

A nossa sociedade resolveu valorizar mais a excelência do que a existência.

Por isso, na década mais informada da História, na era da indústria do lazer, na geração mais confortável de todos os tempos, vivemos o caos da depressão, de ataques de pânico e angústias.

Nunca as pessoas tomaram tantos antidepressivos e calmantes como nos dias atuais. Nunca fomos tão pobres emocionalmente, nunca fomos tão pequenos de alma, verdadeiros mendigos espirituais.

É fácil explicar essa condição. Nascemos para uma coisa e estamos correndo atrás de outra. Quando estamos fora do nosso propósito, nada faz sentido.

A nossa crise de identidade tem afetado os nossos projetos e a nossa descendência.

Contudo, ainda há tempo para atualizarmos o nosso destino e começar a viver por ele. Você está disposto?

É como um GPS ou o aplicativo Waze. Se você perder o sinal da conexão no meio do caminho, terá de reconectar e recalcular as coordenadas.

O PODER DO PENSAMENTO

Blaise Pascal (1623-1662), filósofo e teólogo francês, acreditava que uma das prioridades do nosso pensamento é pensar em nós mesmos, não somente nas coisas exteriores a nós.

Pois bem, a tarefa principal do ser humano é conhecer a si mesmo, mas, para cumprir esse empreendimento, a razão acaba atrapalhando, pois ela é fraca, incrédula e imprecisa. Cai constantemente na fantasia, no sentimentalismo e no hábito.

Além de limitados, somos também impotentes diante das misérias humanas, como a morte e a ignorância. Qual é a força de um ignorante se o poder está no conhecimento?

Para fugir dessas fraquezas, muitos escolhem o não pensar, e o não pensar para Pascal é o divertimento, a distração. Nos dias de hoje, traduzo isso como entretenimento.

Divertir-nos é uma forma de nos distrair com ocupações que nos distanciam das misérias que vivemos ou do futuro que nos espera. Por isso, para muitos, o cristianismo e a forma de fazer igreja hoje em dia são apenas "diversão", ou seja, um meio de distração dos problemas e vazios existenciais.

Afirmo isso com base em pesquisas que temos feito como instituto em várias partes do mundo, principalmente na América Latina.

Quem é você?

Uma pessoa livre de traumas e mazelas é alguém focado no futuro, que sonha em contribuir com a humanidade, que encontrou o sentido da vida.

Aquele, porém, que ainda não "aliviou sua bagagem emocional e espiritual" sente suas misérias quando não tem nada para fazer. E o entretenimento é o "fazer algo" que distanciará a alma do vazio e do tédio. A diversão, em muitos casos, é uma fuga de nós mesmos.

Por isso, nos dias de hoje, existe tanto entretenimento em lugares nos quais só deveria habitar o entendimento, como as igrejas.

"O homem está disposto a negar o que não entende", dizia o próprio Pascal.[4]

Tudo o que você não entende, você repulsa.

Assim, a felicidade está na ignorância, pois, quanto mais você conhece, mais senso de responsabilidade tem. E com isso vem um peso insuportável.

Por isso, a Bíblia diz: "A quem muito foi dado, muito será exigido" (Lucas 12.48).

Pensar é um ato poderoso que nos tira da condição de manipulados para nos tornar tomadores de decisão.

Lembre-se de que, é claro, toda escolha gera perda. Se você decidir fazer dieta, perderá o prazer das iguarias. Se optar por comer de tudo, abrirá mão do peso ideal e até da saúde.

Quando as perdas são calculadas, sentimos menos.

Quando sabemos quem somos, não sofremos, mas, inevitavelmente, vivemos uma vida de sacrifícios.

DESENHANDO O SEU NOVO *LAYOUT*

Uma das funções da atualização do iOS no iPhone é redesenhar o *layout* do telefone e estabelecer um novo padrão de organização para fotos, aplicativos, recursos e cores.

Layout é o seu *design*, o que as pessoas veem em você. É o que transmite a sua imagem.

---

[4] PASCAL, Blaise. **Pensamentos**. 3. ed. Mem Martins, Portugal: Publicações Europa-América, 1998.

Conforme citei na introdução deste livro, vamos estudar um pouco sobre missão, visão, valores e propósito. É isso o que as pessoas verão em você: o seu *layout*.

Se você terminar este primeiro capítulo, o primeiro dia da sua atualização, entendendo isso, não há dúvidas de que, em mais 11 dias, ou seja, nos 11 capítulos seguintes, estará pronto para começar a cumprir o seu destino na terra. Você está disposto?

O QUE É VISÃO PARA UMA VIDA ATUALIZADA?

Visão é o futuro. É como você se vê daqui a dez ou vinte anos!

Para muitos, o futuro já chegou, e eles não souberam o que fazer com isso.

Mais importante do que ter visão é ser treinado para ela.

Treinamento não é algo sobre qualquer coisa; é algo específico. O que adianta um neurocirurgião ser treinado pelo melhor ortodontista do mundo?

Quando você está com dor de dente, não adianta ser amigo do melhor oftalmologista da cidade, entende?

O seu treinamento e a sua especialização devem ser naquilo que se espera para o seu futuro.

Jim Collins, um famoso americano consultor de negócios ao qual tive o prazer de assistir pessoalmente em Chicago, nos EUA, há alguns anos, ressalta em seu livro *Good to Great* [em português, traduzido por *Empresas feitas para vencer)*[5] que "a intensidade do treinamento determina a velocidade com que se chega ao futuro".

Na década de 1980, quando as empresas mais excelentes da América perceberam que o mundo estava mudando e se tornando tecnológico, elas investiram pesado em treinamento de tecnologia.

Ter visão é fundamental, pois sem ela não saberemos em que investir hoje para colher amanhã.

Não saberemos para onde estamos indo nem o que fazer na semana que vem.

---

[5] São Paulo: HSM, 2013.

Quem é você?

Quando Walt Disney (1901-1966) sonhou com os parques como os conhecemos hoje, não havia nada além de uma visão do futuro. Mas, entenda, este é o ponto inicial para qualquer grande realização na vida.

A visão aponta o destino e, com isso, é claro, podemos agora pôr a nossa energia no cumprimento da missão.

O QUE É MISSÃO PARA UMA VIDA ATUALIZADA?

Missão é o próximo passo, aquilo que você deve fazer diariamente para que o futuro chegue no prazo determinado.

Quando o destino fica claro, precisamos agora percorrer o caminho até chegar lá. Esse percurso é a nossa missão.

Sem visão, uma missão perde o sentido.

Quando um soldado vai à guerra e recebe uma missão para o dia, ele não cumpre pelo sentido da ordem que recebeu, mas pela visão do que um dia irá se cumprir. Ninguém vai para a guerra pela missão, e sim pela visão.

Quero dizer que ele não vai para as trincheiras matar o soldado inimigo porque é sua missão; ele o faz porque quer trazer paz à sua nação vencendo essa batalha. A visão é ter paz na nação daqui a cinco anos. A missão desse soldado é ir para a frente de batalha hoje e resistir ao inimigo.

Você deve se lembrar da invasão americana ao Iraque (2003-2011). Foi uma tragédia, pois eles fizeram que milhares de soldados americanos fossem à guerra com a visão de aniquilar armas nucleares que estariam em posse do inimigo. Logo, a missão era, diariamente, matar e oprimir iraquianos.

Depois de anos de matança e opressão, as tais armas nucleares nunca foram encontradas.

Uma missão sem visão perde o sentido e provoca revolta.

Geralmente, chefes, líderes ou até mesmo pais passam uma missão aos seus liderados ou filhos, mas não revelam a visão, ou seja, o futuro. Trabalhar em uma missão sem saber aonde se quer chegar, cansa e desanima!

Entendeu?

Quando a sua visão estiver definida, por mais difícil que seja a missão, nunca faltará paixão para realizá-la.

Sem visão (consciência do que vem pela frente), você não valoriza o que tem nas mãos agora. Veja o exemplo de Esaú. Em Gênesis 25.31-34, ele vende sua primogenitura em troca de algo passageiro — um prato de lentilhas. Jacó propôs o negócio e ele aceitou, dizendo: "De que me serve essa primogenitura, se agora estou com fome?". Trocar uma visão (futuro) pela necessidade atual é muito comum entre os seres humanos. "A necessidade é a mãe da prioridade", já diziam os grandes filósofos gregos. Se você tem fome agora, sua prioridade é comida!

Quem, porém, tem visão não monta uma agenda com base em suas necessidades, não decide por suas necessidades e principalmente não prioriza as necessidades. Você vive pela sua visão ou vive pela sua necessidade. Os grandes empreendedores que o digam. Homens relevantes venceram suas necessidades em prol de uma visão.

Esaú só vendeu o que tinha porque não sabia que, no futuro, a bênção da primogenitura era a condição para ser o pai de multidões, pai da nação de Israel, herdeiro da promessa dada a Abraão. Jacó tinha consciência do futuro (visão) e pagou o preço para ter a condição necessária para herdar a promessa. Dizem que Jacó enganou a Esaú. Mentira! Ele fez um negócio. Pagou baratinho, mas pagou. A fama de enganador que ficou em Jacó vem de um versículo no qual o próprio Esaú declara que Jacó tomou sua bênção! Mas, como já falamos, ele não tomou. Esaú mesmo que a entregou quando a desprezou. Você perde tudo a que despreza. Não despreze a visão que está em você.

PROPÓSITO

Nos nossos cursos e seminários de liderança pelo Instituto Destiny, costumo apresentar a palavra "propósito" como a sua ICP — ideia central permanente. A ICP é aquela que, independentemente do projeto ou fase da vida que você esteja vivendo, domina o seu coração. É uma ideia que ocupa o centro de todas as outras ideias da sua vida. E mais: ela é permanente. Para sempre.

Isso é propósito!

Você se lembra da história de José que analisamos no início do capítulo? Então, governar era a ICP de José.

Quando você tem uma visão, tem futuro.

Quando você tem uma missão, é produtivo, não ocupado.

Quando você tem um propósito, tem sentido na vida.

A ICP é o que mantém você vivo diante das contrariedades da vida. É o que mantém você íntegro na casa de Potifar. É o que preserva você nos anos de fome.

Desvendar e viver o seu propósito todos os dias é o segredo de uma vida atualizada.

Quem tem propósito valoriza o seu tempo, pois sabe aonde quer chegar.

Quem tem propósito não anda com qualquer pessoa, pois sabe que, na companhia de tolos, nos tornamos iguais.

Quem tem propósito não se ofende, pois sabe exatamente quem é. Quem tem propósito vive seu destino, não o dos outros. Não sente inveja, pois sabe para o que foi chamado.

Quando descobri a minha ICP há alguns anos, dei-me conta de que tudo o que eu fizera na vida, em todas as fases pelas quais passei, em todas as situações que vivi, uma ideia central nunca se afastou de mim: treinar pessoas!

Quando eu dirigia uma empresa de turismo, amava levar as pessoas para Israel a fim de estudar mais a Bíblia; quando pastor, só me envolvia em cursos bíblicos e aulas teológicas; e, como *coach*, nem preciso explicar, o próprio nome define.

Foi aí que percebi que havia nascido para treinar pessoas. E, quando descobri isso, caiu a ficha de que, em uma seleção de futebol, eu seria o Tite (atual treinador da seleção brasileira), não o Neymar.

Eu definiria as táticas, mas o Neymar faria o gol. Eu ganharia um bom salário, mas o Neymar ganharia muito mais. Eu seria conhecido, mas nunca chegaria próximo à fama do atacante.

Quando descobrimos a nossa ICP, jamais nos comparamos com os outros, pois sabemos exatamente qual é a nossa função.

A vida deve ser de sacrifícios, não de sofrimentos. Sacrifique-se pelo seu propósito e nunca sofra por falta de conhecimento e reconhecimento.

Defina a sua visão, a sua missão e o seu propósito (ICP) e prepare-se para receber um novo *layout*.

As pessoas vão se lembrar de você por aquilo que elas viram em você!

Encerro este capítulo com uma linda frase de Benjamin Disraeli (1804-1881), o grande ex-primeiro-ministro do Reino Unido durante o reinado da rainha Vitória:[6]

"A vida já é muito curta para ser pequena".

ATUALIZAÇÃO 1:
Defina quem é você e para onde está indo.

Responda às seguintes perguntas com base no que aprendeu neste capítulo.

A MINHA VISÃO

_____
_____
_____
_____
_____
_____

A MINHA MISSÃO

_____
_____
_____
_____
_____
_____

---

[6] Frase geralmente atribuída a Disraeli na Internet. Não há referência em livros.

Quem é você?

O MEU PROPÓSITO (ICP)
_____
_____
_____
_____
_____

Como as pessoas se lembrarão de mim depois que eu partir?
_____
_____
_____
_____
_____

Qual será o meu legado?
_____
_____
_____
_____
_____

O PODER DE UM MENTOR

Capítulo 2

"Os planos fracassam por falta de conselho."

REI SALOMÃO
(1000 a.C.; Provérbios 15.22)

ATUALIZANDO...

9% atualizado

O poder de um mentor

Agora que você passou pela primeira atualização e descobriu quem você é, começa o desafio de encontrar um mentor para o guiar pelas estradas esburacadas da vida.

Enquanto eu construía pontes e caminhos para chegar aos vilarejos mais distantes da minha mente, dei-me conta de que precisaria de alguém para fornecer as ferramentas para essa construção. Um tutor.

Tanto para o crescimento interno, que era o meu caso na época, quanto para os avanços externos, que é o caminho que estou trilhando hoje, sempre precisei de ajuda especializada. Os erros que cometi na vida foram justamente quando achei desnecessário buscar essa ajuda, esse GPS.

Entenda: você não precisa ser um "macmaníaco" para dominar o seu iPhone logo na primeira semana de uso. Isso porque existe um tutorial que vai orientar você no "passo a passo" do uso do aparelho. Com ele, você consegue utilizar todas as funções do telefone com eficácia.

Assim funciona o *mentoring*. É como um tutorial. Um passo a passo da vida.

Concluo que o *download* da versão atualizada de uma pessoa é feito pelo poder dos conselhos e da instrução.

O treinamento (*coaching*) nos faz conquistar e avançar. A mentoria (*mentoring*) mantém o que agora é nosso.

Você tem mais itens de série do que imagina. Múltiplas funções que ainda não descobriu.

Eu não tinha noção do que o meu iPhone era capaz de fazer até ir a uma Apple Store e ser orientado e treinado por um vendedor especializado em como utilizar todo o potencial do meu aparelho.

Existem usuários que passam anos utilizando seu *smartphone* apenas como telefone, leitor de *e-mail* e conector de redes sociais. Eles não têm ideia das habilidades internas que estão disponíveis.

Grandes homens teriam sido nada sem grandes mentores.

Um mentor conduz seu pupilo por um caminho já trilhado.

Na semana em que escrevi este capítulo, descobri que eu poderia sincronizar toda a minha agenda com a minha equipe por meio de um aplicativo que sempre esteve disponível no meu telefone. Quando alguém que já havia feito esse *download* me instruiu sobre a função desse aplicativo e sobre como usá-lo, eu me senti o mais tecnológico dos homens.

Veja Martin Luther King Jr., mundialmente reconhecido como um dos maiores líderes do século XX. Quem foram seus mentores? Quem o guiou para aquele caminho de sacrifícios e de glória?

O primeiro foi Howard Thurman, que viajou o mundo para entender as religiões, conheceu Gandhi em 1935 e trouxe para King o movimento político não violento. Essa filosofia de protestar sem violência foi o que potencializou a voz de Martin Luther King na América.

Mentores lançam alicerces para construirmos em cima de uma base.

O segundo foi Bayard Rustin, que reconheceu a capacidade de liderança de King e o ajudou a organizar a Southern Christian Leadership Conference.

Dessa forma, o movimento negro saiu da esfera do "protesto" e entrou na esfera da "política".

O terceiro, mas primeiro cronologicamente, foi Benjamin Mays, que era filho de escravos, buscou educação superior e se tornou professor de King aos 15 anos, recém-admitido na universidade. Mais tarde, Mays passou a se referir a King como "seu filho", inclusive em seu funeral.

Isso não só mostra a importância da mentoria, como revela que existem mentores diferentes para cada etapa da nossa vida. Gente com conhecimento específico para cada área e fase em que estamos.

Um mentor de alto nível geralmente não estará disponível no início da nossa caminhada. Provavelmente serão pessoas simples, mas com as experiências necessárias para nos conduzir na estrada da vida.

Esteja atento e identifique essas pessoas na sua trajetória. Para termos uma vida atualizada, encontrar mentores é fundamental.

A nossa atualização depende desse tutorial.

O PRIMEIRO MENTOR

Lembro-me de que quando éramos crianças, o momento mais aguardado do ano pelos meus irmãos e por mim eram as férias de verão. Ah, o verão! Entrávamos em êxtase.

O poder de um mentor

O meu pai, que era militar, tirava férias em janeiro para coincidir com as nossas e, juntos, partíamos rumo ao litoral do Rio de Janeiro. Ficávamos ansiosos pelo sol da costa no nosso rosto, pelo vento do fim da tarde, pelo futebol na areia da praia e pelas festas nas praças da cidade, quando a noite adentrava, com "barraquinhas" de artesanato, comidas típicas e tudo mais.

Porém, momentos celebrados como esses também eram fontes de conflitos. Era estressante conviver com dois irmãos pré-adolescentes, suportar o calor da estação, administrar os limites financeiros (a nossa mesada) e ter coragem para fazer novas amizades. Esses diversos desafios provocavam sérios distúrbios naqueles dias que deveriam ser de descanso e lazer.

Assim, papai sentava-se conosco quase diariamente, durante as férias, acalmando-nos e orientando-nos, para que não perdêssemos o brilho daquela estação. Geralmente, o primeiro mentor de um ser humano é o próprio pai.

A figura paterna tem extrema importância e impacto na nossa identidade. Toda sociedade desintegrada e em desordem teve origem na ausência do pai dentro dos lares. Afirmo isso com base nas declarações de especialistas da psicologia e nos estudos sociais mundo afora.

O próprio Sigmund Freud, considerado o pai da psicanálise, disse repetidas vezes que a nossa relação com a figura paterna determina a maneira de reconhecermos Deus. A nossa noção de respeito, limites e autoridade, segundo a teoria freudiana, está ligada ao tipo de relacionamento que tivemos, ou não, com o nosso pai.

Sem um auxílio, sem um norte, sem uma direção ou conselho de alguém mais experiente na nossa infância e adolescência, nos perderíamos nos desarranjos da convivência, interior e exterior, ainda que estivéssemos vivendo dias de glória.

Entrevistei mais de 100 líderes influentes para compor as ideias deste livro. Essas figuras de mentoria e de paternidade foram citadas, espontaneamente, por 85% dos entrevistados.

Sei que nem todos tiveram a oportunidade de ter um pai. Alguns tiveram um pai ausente ou até cruel.

Não quero me aprofundar no assunto da paternidade, por não ser o tema central desta obra.

Caso, porém, você não tenha tido um pai, é provável que tenha transferido de alguma forma essa função para outra pessoa. Resta saber se você escolheu bem o mentor substituto.

O QUE É MENTORING?

A palavra *mentoring* em inglês significa "mentorear". Defino esse termo como aconselhar e instruir com acompanhamento constante.

Aconselhamento é diferente de instrução. Vamos entender isso ainda neste capítulo.

Observe como também podemos definir a palavra "mentorear":

> *Processo contínuo de transmissão de conhecimentos, bagagem de vida e experiências a filhos, pupilos ou discípulos, com o objetivo de facilitar o autoconhecimento de cada um e de aperfeiçoar as habilidades de liderança, gestão do eu e relacionamentos. Nessa relação, o mentor não dita regras, mas conduz processos. Permite que os pupilos o conheçam como ele é. Usa suas fraquezas para fortalecê-los e suas fortalezas para direcioná-los e protegê-los.*

Na Grécia antiga, a prática da mentoria, ou seja, ter um tutor para orientar e equipar alguém com menos experiência, era muito usada. Haja vista que Alexandre, o Grande, imperador macedônio e um dos maiores conquistadores da Antiguidade, foi mentoreado até os 16 anos por nada mais, nada menos, que Aristóteles, um dos filósofos mais influentes da Grécia antiga.

Um mentor necessariamente tem conteúdo. É alguém capacitado em temas específicos, humilde para ensinar, desprovido de ganância e portador de grande sabedoria.

Um mentor conecta-se com propósitos, não somente com pessoas. Assim, ainda que alguém falhe nesse processo, o projeto continua. Pois propósitos sempre são maiores do que pessoas. Propósitos são eternos, pessoas são temporais.

Basta avaliarmos a vida de homens e mulheres como Mahatma Gandhi, Martin Luther King Jr., Nelson Mandela, Madre Teresa de Calcutá e outros que deixaram de existir, mas cujos propósitos seguem vivos.

Diferentemente do *coaching*, que trabalha fornecendo "ferramentas" e fazendo perguntas, o *mentoring* trabalha com orientações e conselhos.

Hoje em dia, dificilmente um líder ou alguém atualizado será reconhecido como referência se não exercer também a função de mentor.

Analisando os resultados e o estilo de liderança dos grandes líderes corporativos e institucionais no mundo atual, vemos que a capacidade de mentorear, geralmente, é um ponto comum entre eles.

Quando, em vez de chefiar, você aconselha e instrui (*mentoring*), as pessoas começam a servir você com excelência, pois os sonhos delas ficam atrelados ao seu propósito.

Recentemente fui contratado por uma construtora para ministrar uma palestra aos funcionários e acompanhar os diretores em sessões de *coaching*. O CEO da empresa me contou como ele mantinha pessoas tão felizes e satisfeitas em sua empresa.

A primeira pergunta que ele fazia a um novo membro da diretoria, gerente ou engenheiro era: "Qual é o seu sonho?".

As pessoas não estão acostumadas a responder a tal pergunta.

Porém, ao saber dos sonhos deles, esse diretor trabalhava duro para que cada dia dos funcionários os aproximasse de seus sonhos.

Uma engenheira dessa instituição tinha o sonho de ter a casa própria. Quando o CEO descobriu isso, fez uma proposta para ela: a cada meta que ela alcançasse nas mais de 70 obras em andamento, ela ganharia um bônus extra que seria revertido em crédito para a aquisição de um apartamento nos empreendimentos da construtora.

Você acha que essa engenheira deu tudo de si para que a construtora fosse a número 1 do mercado?

O mundo mudou. Não basta bonificar. Agora, o sonho do funcionário deve estar atrelado ao propósito da empresa. Assim, ambos sempre estarão realizados.

ATUALIZAÇÃO 2:
Tenha um mentor, obrigatoriamente. Seja um mentor, se possível.

Gosto muito dos filmes da série "X-Men". O que sempre me cativou foi a função do professor Xavier. Aquele senhor preso a uma cadeira de rodas produzia mais com seu intelecto do que 100 homens fisicamente perfeitos.

Os jovens mutantes desse filme, ao descobrirem que possuíam superpoderes, também se deram conta de que não conseguiam controlá-los. Acabavam, dessa forma, machucando outras pessoas, às vezes aquelas a quem mais amavam.

Porém, eles encontram o professor Xavier e começam a ser mentoreados para utilizarem com segurança e eficácia seus poderes. Assim, diante das provocações dos adversários, eles passam a manter o foco nos objetivos, sem jamais abrir mão das motivações corretas.

Um mentor uniu e treinou jovens confusos e mal direcionados e os transformou em uma forte equipe de super-heróis.

Às vezes, quando assisto a esse filme e observo o professor Xavier, lembro-me do meu pai. Os meus irmãos e eu tínhamos "superpoderes", só não sabíamos como utilizá-los corretamente.

Analise a história de gigantes do empreendedorismo brasileiro, como Jorge Paulo Lemann, da Ambev. Você descobrirá que, ao iniciar o projeto ambicioso que o transformou em quem ele é hoje, Lemann foi para os Estados Unidos, procurou Jim Collins (um guru do *business* americano) e pediu para ser mentoreado por ele. Essa parceria já dura mais de vinte anos, e os resultados vocês conhecem. O empresário brasileiro é hoje uma referência em todo o país e na América Latina.

O público de hoje não compreende mais ordens, e sim exemplos. Antigamente, um líder-chefe (militar, político, sacerdote...) dava ordens e todos, temerosos, obedeciam. Hoje com a *overdose* de informação disseminada pelos meios de comunicação, principalmente pela Internet, poucos se prendem a regras e limites.

Nem todos são mentores, mas todos devem ser mentoreados.

Aprendemos isso na inteligência bíblica. Jesus foi o maior mentor que já passou pela terra; porém, enquanto esteve por aqui, era aconselhado e instruído. Nisso definimos bem do que se trata o *mentoring*.

No evangelho de João, Jesus explica claramente que "o Filho não pode fazer nada de si mesmo; só pode fazer o que vê o Pai fazer" (5.19).

Entendo assim que a base do *mentoring* é fazer o que se vê e falar o que se ouve.

Podemos constatar isso em diversos casos. Barack Obama é atualmente (2016) o homem mais poderoso do mundo, mas não pode tomar decisões sozinho. Submete-se a um conselho, um grupo de mentores que o ajuda na tomada de decisões.

Tomamos cerca de 300 decisões todos os dias. Algumas insignificantes, tal como escolher a meia que você vai usar. Já outras decisões podem mudar a sua rotina. É o caso de você decidir ir de carro para o trabalho em vez de usar o transporte público. Outras mudam a sua semana, e ainda outras mudam o seu ano. Mas há decisões que mudam toda a sua vida, como o casamento, viver em outro país, a faculdade a ser cursada, onde investir o seu dinheiro etc.

Eu tenho quatro mentores atualmente e quase dez conselheiros. Dificilmente tomo decisões importantes sem filtrar as possibilidades com todos eles.

Aprendi com um dos meus mentores, por exemplo, a tratar as pessoas. Ele nunca me disse: "Tiago, trate as pessoas assim ou assado". Mas, observando como ele valoriza toda e qualquer pessoa que passa por seu caminho, como ele sempre vê o lado bom delas e as valida, entendi que deveria agir assim.

Os resultados e frutos desse líder são imensuráveis.

MENTOREAR É ACONSELHAR E INSTRUIR

Aconselhar: dar direção ou orientação, mostrar caminhos, recomendar algo, corrigir ou admoestar alguém.

Instruir: doutrinar, inserir conhecimento para a construção interior, ordenar ideias, comunicar habilidades e experiências.

Ensinar, disciplinar, educar, corrigir, preparar, edificar e iluminar são sinônimos de aconselhar + instruir: mentorear.

Uma vida atualizada necessita desenvolver as habilidades de *mentoring* e recorrer a suas ferramentas. Os dias em que vivemos exigem essa qualidade para a função.

Conselho é prevenção. Instrução é progresso.

Quando você está coberto por conselhos, previne-se a respeito do que está por vir e se prepara para o futuro. A sua margem de erro diminui até 80%. Os conselhos têm a função de revelar estatísticas. O que pode dar certo e o que pode dar errado. Conselhos são mais importantes que opiniões. Opinião, qualquer um pode dar. Conselho, só um especialista.

Certa vez, uma mãe foi chamada pela professora para ir ao colégio de sua filha. Tratava-se de uma breve reunião para que a escola pudesse comunicar que a pequena menina tinha algum tipo de déficit de atenção ou coisa pior. A professora se aproxima da mãe da menina e diz: "Mãezinha, acredito que temos um problema. Na minha opinião, a sua filha tem algum tipo de transtorno, podendo ser até um grau baixo de autismo".

A mãe quase desmaia.

— A minha filha? Não é possível! Ela é tão esperta, conversa o tempo todo comigo em casa... Meu Deus!

— É, mamãe — diz a professora. — Mas aqui ela é extremamente distraída e fica balançando braços e pernas o tempo todo dentro da sala de aula. Na hora do recreio, enquanto todas as crianças estão se divertindo, ela fica isolada debaixo de uma árvore, girando para lá e para cá, sem nenhum sentido!

Então, a mãe volta desolada para casa, com a possibilidade de a filha ter algum problema.

Duas semanas depois, a própria diretora da escola a convida para outra reunião. E, dessa vez, o tom é bem mais sério.

O poder de um mentor

— Gostaríamos que a senhora levasse a sua filha a um especialista. Na nossa opinião, ela está doente — decreta a diretora.

A mãe sai chorando da reunião e começa uma incansável busca por um psiquiatra especializado nesses casos. E ela o encontra dias depois em outra cidade.

Você sabe que, em geral, uma mãe não mede esforços para resolver um problema, quando esse problema é de seus filhos. Aquela mulher dá um jeito e consegue uma alta soma de dinheiro para pagar o valor da consulta, bem como as passagens de ida e volta para a cidade onde se situava a clínica.

Chegando lá, o doutor decide internar a menina por apenas dois dias, o tempo necessário para fazer uma bateria de exames, analisar os resultados e observar a garotinha.

Dois dias depois, a mãe volta à clínica com o coração na mão.

O psiquiatra a leva para uma sala, de onde ela pode ver através de um vidro a sala onde sua filhinha está. E adivinhe? A menina balança braços e pernas, sozinha em um canto. Faz movimentos sem sentido algum.

Aqui é o suficiente para a mãe começar a chorar. Aflita, ela pergunta:

— Ela é doente, não é, doutor?

O especialista sorri e declara: — Escute. Eu coloquei uma música dentro daquela sala. Você vê movimentos sem sentido, pois não ouve a música daqui.

Então, o médico liga o som dentro da sala em que os dois estão, e cada movimento da menina agora parece ter sentido.

O doutor olha para a mãe e a tranquiliza:

— Querida, sua filha não é doente. Ela é bailarina.

Talvez a garota nunca seja boa em matemática, talvez ela não entre nas melhores universidades. Mas isso não faz dela uma criança com problemas.

Aos 25 anos, aquela menina já era uma das maiores coreógrafas da Broadway, em Nova York, EUA.

Na opinião de algumas pessoas, ela era doente. Mas, para aquele especialista, que a aconselhou a estudar a arte da dança, ela era uma bailarina.

CONSELHO É PREVENÇÃO

Quando o meu pai nos aconselhava, era sempre neste modelo: ele nos prevenia. Prevenir é o poder do conselho. Ele nos fazia visualizar o futuro e calcular o impacto das nossas atitudes lá na frente.

E logo depois vinha a instrução: "Agora, façam assim e assado...".

O conselho previne, e a instrução faz progredir.

E é esse modelo que aplico aos meus filhos hoje.

Há algum tempo, a minha esposa, Jeanine, me ligou enquanto eu estava viajando para uma conferência na Argentina. Quando atendi, ela disse: — Amor, assim que você chegar em casa, converse com a sua filha.

Quando a esposa diz "a sua filha!", é porque o caso é sério.

Tomei o avião no mesmo dia em que recebi a ligação. Fui até o aeroporto de Córdoba, paguei a taxa de mudança de voo e retornei para casa.

Quando cheguei, fui direto falar com a Julia. Olhei nos olhos dela e, naquele momento, desejei profundamente saber como lidar com a situação.

As palavras que vinham à minha mente eram *conselho* e *instrução*.

E foi isso o que fiz... com o conselho a preveni e com a instrução a fiz progredir.

Conselhos e instrução nem sempre geram resultados imediatos. Ainda assim, esse é o caminho da educação.

ESCUTA ATIVA

As pessoas que ainda não se atualizaram têm muita dificuldade em ouvir. A escuta ativa faz parte das qualidades de um líder treinador e mentor. Para que você desenvolva e instrua pessoas, primeiro terá de conhecê-las e entendê-las.

Escutar com paciência e se colocar no lugar do interlocutor dará a você autoridade nessa relação. As pessoas precisam ser escutadas; elas precisam de um líder que as ouça.

Muitos já me procuraram pedindo ajuda: "Tiago, não gosto de ouvir as pessoas; já tenho os meus próprios problemas. Não consigo ficar minutos ou horas ouvindo alguém".

Sempre respondo que uma característica do novo modelo de liderança nascente é fazer com excelência também aquilo que não nos dá prazer. Fazer o que tem que ser feito. O que gera resultados. Não podemos nos preocupar com a mesquinhez das nossas vontades, e sim com o bem coletivo.

A escuta ativa é o processo de comunicação no qual o receptor interpreta e compreende a mensagem que o emissor lhe transmite.

É importante que você compreenda totalmente o significado da mensagem que recebe, pois normalmente boa parte da informação que escutamos durante uma conversa não chega corretamente ou é mal interpretada. Principalmente porque muito dessa comunicação foi feita de forma não verbal, ou seja, por meio da linguagem corporal (entenda mais no capítulo 4).

Dessa forma, desenvolver a "arte" de escutar é essencial para termos uma comunicação apropriada e eficaz. É preciso compreender a perspectiva do outro para poder mentoreá-lo, oferecendo toda a atenção e estando disponível para o que ele tem a dizer.

É preciso notar os gestos e as emoções demonstrados durante esse processo de comunicação. Alguns são muito simples de serem notados. Às vezes, fazemos uma pergunta e a pessoa olha para cima antes de responder. Segundo a neurociência, isso significa que a pessoa está buscando uma região do cérebro na qual encontrará diversas respostas para aquela pergunta. Ela pode dizer a verdade, ou manipular e entregar uma mentira.

Sabendo disso e estando atento aos sinais, a interpretação da mensagem será correta antes do parecer do mentor.

O SEGREDO DE SALOMÃO

Sempre escutamos que Salomão foi o homem mais rico e sábio que já passou pela terra. Interpretamos que isso se deu pelo fato de ele ter pedido sabedoria a Deus, quando teve a oportunidade.

Contudo, como o questionamento é o princípio da inteligência, à primeira vista não pude aceitar que um adolescente com cerca de 14 ou 15 anos na época, e que poderia pedir qualquer coisa, pediu justamente sabedoria. Adolescentes, geralmente, pedem coisas imediatas e superficiais. Salomão pediu algo eterno e profundo. Não fazia sentido pela idade que ele tinha.

Mas, quando questionamos, provocamos respostas. E, no caso de Salomão, elas vieram.

Atrevo-me a transmitir minha perspectiva deste acontecimento.

Observem estas palavras do próprio rei Salomão em Provérbios, referindo-se aos conselhos e às instruções que ele recebeu de seu pai, o rei Davi.

> Quando eu era menino,
>   ainda pequeno,
> em companhia de meu pai,
>   um filho muito especial para minha mãe,
> ele me ensinava e me dizia:
> "Apegue-se às minhas palavras
>   de todo o coração;
> obedeça aos meus mandamentos,
>   e você terá vida.
> Procure obter sabedoria e entendimento;
> não se esqueça das minhas palavras
>   nem delas se afaste.
> Não abandone a sabedoria,
>   e ela o protegerá;
> ame-a, e ela cuidará de você.
> O conselho da sabedoria é:
>   Procure obter sabedoria;
> use tudo o que você possui
>   para adquirir entendimento.
> Dedique alta estima à sabedoria,
>   e ela o exaltará;
>   abrace-a, e ela o honrará".
> (Provérbios 4.3-8)

Nesse trecho bíblico, os versículos 6 a 27 reúnem as instruções do rei Davi a seu filho Salomão (vale a pena ler o texto completo).

Aqui vemos uma sessão histórica de *mentoring*. Salomão só pediu sabedoria ao Criador porque foi mentoreado a buscar isso!

Quero dizer que as nossas decisões são assertivas quando estamos influenciados pela instrução correta, independentemente da nossa idade e situação de vida.

Aqui é revelado o segredo do homem mais rico e sábio que já existiu: *mentoring* desde a tenra idade.

Aliás, se você quer formar sucessores, não apenas herdeiros, quanto mais cedo começar a mentorear os seus filhos, maior será o raio de influência sobre eles. Nas escolhas da adolescência, eles saberão dizer não. Nas decisões da juventude, eles serão assertivos. Na fase adulta, eles prosperarão.

Provérbios 22.6 deixa isso bem claro: "Instrua [mentoreie] a criança segundo os objetivos que você tem para ela, e mesmo com o passar dos anos não se desviará deles".

O que os pais esquecem é que aconselhar e instruir, ou seja, mentorear, exige tempo e muita dedicação. Separar momentos do dia para isso é fundamental para construirmos sucessores.

Penso, num futuro próximo, em escrever sobre os desafios da família atualizada: casamento, criação de filhos, convivência coletiva etc. Acredito que podemos amenizar as dores nas quais as famílias, em geral, estão mergulhadas nos dias de hoje, por meio do conhecimento.

Serão necessárias fé e inteligência caminhando de mãos dadas para que a esperança ressurja.

A figura paterna sempre será a essência da mentoria, pois a paternidade gera proteção, provisão e destino aos filhos.

NÃO JULGUE

Outra forte característica de uma vida atualizada é que ela é isenta de julgamento (no sentido de condenação), livre de preconceitos. Filtre a sua própria alma antes de discernir a do próximo.

Não julgar é uma ordem clara do maior mentor que a humanidade já teve.

Aconselho, instruo e faço *mentoring* com alguns líderes da nação. Políticos, pastores, esportistas, empresários e altos executivos. Sempre que os ouço, livro-me dos meus preconceitos e esqueço a minha "carteirinha de juiz" no criado-mudo da minha mente.

Entendo que não fui chamado para opinar ou emitir juízo sobre alguém. A minha missão é instruí-los até que saiam da situação em que se encontram.

Líderes que vivem no modelo antigo têm prazer em escutar histórias para poderem julgá-las. Os líderes desta geração descobriram quem são, de modo que tiram a trave que está em seu olho antes de apontar o cisco no olho dos outros. Eles amam aconselhar, amam ensinar, saboreiam os resultados de sua equipe e de seus pupilos.

Julgar é supor algo de alguém, pela aparência, forma, atitude, condição ou comportamento.

Acredito que nenhum ser humano está habilitado a julgar o outro. Muito menos um mentor.

"Não julguem, para que vocês não sejam julgados" (Mateus 7.1).

SEM DESCULPAS!

Hoje, atendo de forma *on-line*, como *mentor* e *coach*, a mais de 40 pessoas espalhadas pelas Américas. Algumas delas são líderes influentes; outras são pessoas comuns buscando crescer na vida. Não há mais desculpas de tempo ou distância. Está nas suas mãos encontrar um mentor e não o soltar mais. A Internet aproximou propósitos.

Enquanto eu escrevia este capítulo, atendi por quarenta minutos uma jovem senhora via Skype. Já tínhamos feito algumas sessões de *coaching* pessoalmente com ela. Mas agora Melina (nome fictício) precisava urgentemente tomar uma decisão e me acionou.

Ela estava muito feliz, pois havia sido convidada pela cunhada a tornar-se sócia em um consultório médico. A primeira coisa que lhe perguntei foi:

— Por que você quer entrar nesse negócio? Por que você está feliz? Vamos identificar juntos a verdadeira motivação de tudo isso?

Ela silenciou. Coçou a cabeça e disse:

— Acho que quero um tempo novo na minha vida. Ganhar melhor e ainda melhorar a minha autoestima.

— Então você está infeliz com a vida atual?

— Não — disse ela. — Apenas me sinto incompleta.

— De quanto é a proposta da sociedade? — perguntei.

— Setenta por cento para ela e 30% para mim — disse Melina.

E você está contente com isso?

— Estou me sentindo diminuída.

E por aí foi...

Em apenas quarenta minutos, analisamos as motivações, montamos um plano de negócios, reforçamos o emocional dela para as próximas reuniões, fizemos uma lista de prioridades e calculamos o impacto da decisão caso tudo desse errado. Conversamos sobre quem seria afetado e o que isso significaria.

Em apenas quarenta minutos, a decisão foi tomada. E foi assertiva!

Mas, com a confusão mental em que ela estava, com o fervor das emoções, com a cegueira da euforia de um novo tempo, como seria a sua decisão sem mentoreamento?

Quando somos mentoreados, fazemos coisas que não sabíamos que éramos capazes de fazer. Descobrimos que há muito mais em nós do que pensávamos. Evitamos erros, bloqueamos conflitos. Entendemos motivações, avaliamos riscos.

Estar coberto por conselhos e instruções nos garantirá um futuro. Ele continuará imprevisível, mas certamente será menos doloroso e mais bem-sucedido.

O futuro é construído pelas decisões que tomamos, não pelas desculpas que damos.

Deus pode levantar você dos fracassos, mas nunca das suas desculpas.

O CÓDIGO DA SABEDORIA

Capítulo 3

"Conhecimento é saber que o tomate é uma fruta; sabedoria é não o colocar em uma salada de frutas."

AUTOR DESCONHECIDO

ATUALIZANDO...

17% atualizado

Imagine-se com o vigor dos 20 anos e com a maturidade dos 60. A força casaria com a lucidez, e a esperança, com as probabilidades. Fé e inteligência andariam de mãos dadas.

Hoje, com o avanço da medicina, é possível manter a saúde e a energia física em alta, independentemente da sua verdadeira idade. Mas o desafio é: como alcançar a maturidade, se ela é um fruto da sabedoria?

Se conquistarmos a fonte, teremos direito sobre as suas fluentes. Se alcançarmos a sabedoria, teremos direito sobre seus frutos.

O capítulo que você vai ler agora é a chave que abre o cofre daquilo que você precisa para cumprir o seu destino na terra. É uma preciosa ferramenta de atualização.

Entramos na terceira fase da atualização da sua vida.

A sabedoria é uma rede ilimitada de informações, conhecimento, perguntas e respostas. Funciona como um *wi-fi*. E, para acessá-la, são necessários códigos. Senhas que permitem o acesso.

Assim como a mentoria, a sabedoria tem o poder de confrontar o ser humano até elevá-lo a um nível bem superior ao que ele se encontra atualmente.

Muitos de nós nos conformamos em apenas viver em um ambiente que tem *wi-fi*, ainda que não estejamos conectados. É como estar no aeroporto de São Paulo, de onde, geralmente, embarco para os meus compromissos. Assim que entro no saguão do aeroporto, o meu telefone se conecta automaticamente à rede, e as mensagens de *WhatsApp* começam a chegar na tela.

Mas, quando tento responder, percebo que não estou conectado realmente. Então, tenho de abrir outra janela no *browser* e digitar uma senha. Só depois disso é que o acesso fica ilimitado.

Quais são os códigos que destravam a rede invisível e infinita do saber?

Entenda que, para chegar à dimensão em que a sabedoria está não basta ter entendimento; é necessário ter conhecimento.

APRENDIZADO ≠ EXPERIÊNCIA

Albert Einstein (1879-1955), o físico teórico alemão, disse certa vez que "a experiência é a única fonte de conhecimento".

Você só conhece o que experimenta. Sem a experiência, no máximo, você chega a entender.

Em uma palestra que ministrei em um país da América Central, perguntei aos participantes quem não sabia andar de bicicleta. Uma senhora levantou a mão.

Então prossegui, dizendo: — Senhora, vou explicar detalhadamente como se anda de bicicleta. Preste bem atenção!

Logo em seguida, fazendo uma demonstração física, prossegui: — Imagine a bicicleta à minha frente. Ela é cor prata e tem o assento negro. Passe a perna direita por cima da bicicleta, mantendo a perna esquerda firme como apoio do movimento. Agora, sente-se e apoie as duas mãos no guidão.

Continuei: — Coloque um dos pés no pedal e comece a forçar para a bicicleta entrar em movimento. Equilibre-se com as duas mãos e, por mais que tudo comece a tremer, não pare de pedalar. Entendeu como é?

A senhora respondeu, sorrindo: — Sim!

Eu me voltei para o restante do público e perguntei: — O que vocês acham que acontecerá se ela vier aqui e realmente tentar andar na bicicleta?

Todos, unânimes, responderam: — Vai cair!

Concordei, contudo insisti na tentativa de instigar os pensamentos deles: — Mas ela não disse que entendeu como se faz?

A pergunta fez que todos ficassem pensativos. A senhora entendeu, mas não aprendeu. Pois sem a experiência de andar de bicicleta, ainda que tente e até caia muitas vezes, ela nunca aprenderá.

Segui dizendo: — E se ela aprender por meio da experiência e ficar vinte anos sem andar de bicicleta? O que acontecerá se, depois de tantos anos, ela tentar andar?

— Vai conseguir! — uma pessoa respondeu, e todos concordaram.

— Sim — disse eu, completando: — Pois uma vez que se aprende, nunca mais se esquece.

Esquecemos as palestras, conferência e pregações a que assistimos, os livros que lemos, as matérias que "estudamos", pois na verdade entendemos o que foi dito ou explicado, mas nunca aprendemos.

O entender pode ser coletivo. O aprender é individual.

Você deveria estudar em casa, trancado por uns minutos, tudo o que entendeu durante o dia.

Pierluigi Piazzi (1943-2015), um ítalo-brasileiro e famoso professor de cursinhos pré-vestibular, conta em seu livro *Estimulando a inteligência*[1] que uma de suas grandes frustrações como profissional era receber alunos que terminaram o ensino médio com excelentes notas e currículo exemplar, mas, na realidade, não tinham aprendido nada.

Eles não sabiam ler com fluência, não escreviam corretamente e não eram pensadores. Compreender cálculos matemáticos era como ler em braile para eles, que podiam enxergar e nada entendiam daqueles códigos.

O que é isso?

O professor Pier, como era conhecido, afirma que a maioria de nós estudou para passar na prova, não para aprender.

Queremos apenas sobreviver ao próximo desafio. Não pensamos a longo prazo.

Estes são reflexos de uma vida desatualizada que ainda não ingressou na universidade da sabedoria.

SABEDORIA

A inteligência é a porta que leva você à sabedoria; está na esfera do entendimento. A sabedoria caminha de mãos dadas com o conhecimento.

O livro milenar de Jó, o mais antigo livro bíblico, revela: "O homem não percebe o valor da sabedoria; ela não se encontra na terra dos viventes" (28.13).

Aqui notamos que, ao contrário da inteligência, a sabedoria não pode ser desenvolvida naturalmente. É necessário transcender mente e coração humanos para abrigar tal tesouro dentro de si.

A sabedoria de Deus foi assunto exaustivo para os teólogos do século I da era cristã.

---

[1] São Paulo: Aleph, 2008.

Segundo escritos antigos, ela pode ser adquirida empiricamente, por meio de mentores, e também mediante uma fé inabalável. Existe um ditado de autor desconhecido que me chama a atenção: "Inteligência é aprender com os próprios erros; sabedoria é aprender com o erro dos outros".

Quero dizer que, para obter sabedoria, entre outras coisas, devemos ser excelentes observadores, pensadores e possuir experientes tutores.

Além disso, o livro bíblico de Tiago (apontado como irmão de Jesus) diz o seguinte: "Se algum de vocês tem falta de sabedoria, peça-a a Deus, que a todos dá livremente" (Tiago 1.5).

Só a recebe quem pede, quem a busca incansavelmente!

Como vemos, é algo divino.

ATUALIZAÇÃO 3:
Quando a inteligência transcende o humano, nasce a sabedoria.

No livro de Provérbios, temos acesso a versículos revolucionários, como: "Eu [a sabedoria] estava ao seu lado e era o seu arquiteto" (Provérbios 8.30).

Isso mesmo. Enquanto Deus formava o mundo, segundo as Escrituras, a sabedoria era quem dava as medidas.

Qual é o trabalho de um arquiteto?

Desenhar, dimensionar, sugerir, calcular, projetar.

Bem, a sabedoria está na eternidade, como lemos em Jó 28; assim, ela não possui início nem fim. É atemporal. Por isso, quem a tem sempre está à frente de seu tempo.

"Eu, a sabedoria, moro com a prudência" (Provérbios 8.12), disse o próprio Salomão.

PRUDÊNCIA

E o que é prudência?

Na minha abordagem pessoal, eu diria que prudência é calcular o impacto de uma decisão.

Se o nosso futuro é criado pelas nossas decisões, como diz o famoso palestrante e *coach* norte-americano Anthony Robbins, sem prudência para tomá-las, teremos um destino pavoroso.[2]

Mas só é possível calcular tal coisa se temos sabedoria para poder estar à frente do tempo, imaginando as consequências de cada caminho que decidimos percorrer.

Um dos grandes conquistadores do Novo Mundo, o espanhol Francisco Pizarro (1476-1541), queimou os navios de sua frota pouco depois de desembarcar com sua tripulação no Peru. Assim, ele garantiu que ninguém pensasse em voltar ao Velho Mundo e desistir da missão. Com a única chance de voltar para casa em chamas, todo o foco agora estava em cumprir a missão e construir o futuro.[3]

O mesmo aconteceu com o profeta Eliseu, quando Elias lançou sua capa sobre ele como sinal de escolha para uma sucessão. Ele, que lavrava com os bois, pediu para se despedir de seus pais. Depois, matou todos os bois e queimou os instrumentos de trabalho.

Assim, jamais pensaria em voltar atrás, pois seu passado estava desmanchado.

Se Deus "contratou" a sabedoria para dar as medidas enquanto ele construía o mundo, por que você está construindo a sua vida sem ela?

A sabedoria aponta o caminho para o futuro e destrói as possibilidades de voltar atrás.

É importante saber que somos diariamente expostos à mídia, propagandas e outros meios de comunicação, que nos forjam como consumistas. Quero dizer que, muitas vezes, nos atualizamos apenas para nos adaptar às exigências do *marketing* das empresas, não pelas novas ferramentas que temos para usar na construção dos nossos projetos na terra.

A motivação conta muito quando se trata de buscar sabedoria. Pedir por ela, buscá-la, esperá-la e desejá-la só têm efeito se o fim que você espera seja a contribuição coletiva.

---

[2] ROBBINS, Anthony. **Poder sem limites**. Rio de Janeiro: Best Seller, 2013.
[3] BARLETTA, Roberto. **Breve história de Francisco Pizarro**. Madrid: Nowtilus, 2010.

Ninguém se torna sábio para si próprio. Temos um trato com a humanidade.

A BASE DA SABEDORIA

A inteligência espiritual é a base da escada para a sabedoria. É o alicerce desse edifício do saber. Eu diria que ter sabedoria é a consequência do desenvolvimento da inteligência espiritual.

Paulo, o apóstolo, falava muito a respeito desse tipo de inteligência. Em Colossenses 1.9, ele exemplifica o pensamento apostólico sobre o tema:

> Por essa razão, desde o dia em que o ouvimos, não deixamos de orar por vocês e de *pedir* que sejam cheios do pleno conhecimento da vontade de Deus, com toda a *sabedoria* e *entendimento espiritual*.

Aristóteles, o filósofo grego aluno de Platão, em uma de suas famosas citações, disse: "A dúvida é o princípio da sabedoria".

Particularmente, a abordagem bíblica sempre fez mais sentido para mim. Diz assim: "O temor do Senhor é o princípio da sabedoria" (Provérbios 9.10).

QUAL É A DIFERENÇA ENTRE A DÚVIDA E O TEMOR?

A dúvida é uma condição psicológica ou um sentimento, caracterizada pela ausência de certeza e convicção quanto a uma ideia, fato, ação, asserção ou decisão.

O temor é a falta de tranquilidade, a sensação de ameaça ou susto, o sentimento de profundo respeito e obediência.

Tranquilidade remete à zona de conforto. Debaixo de ameaça, produzimos os melhores resultados. Com sentimento de profundo respeito e obediência, somos aceitos.

Logo, o temor tira você da zona de conforto, produz melhores resultados e o faz andar em honra e ser aceito.

O temor ao Senhor é o que nos dá a referência de ética e moral, assunto tão discutido por filósofos e psicanalistas do mundo inteiro.

O código da sabedoria

Em 2013, durante uma viagem de estudo que fiz pela Grécia, li a frase de um poeta grego chamado Píndaro, que diz assim: "A sabedoria é o conhecimento temperado pela ética".

É essa ética (ou temor) que mostra o certo e o errado, o que se deve e o que não se deve fazer. Vivemos em uma crise de corrupção como nunca no cenário político internacional, principalmente se tratando de Brasil e América Latina.

O que faz a população criticar o governo, ao mesmo tempo que infringe pequenas leis, como andar no acostamento quando não há câmeras filmando, ou não pagar um estacionamento, ou dar um "café" para o policial quando ele flagra a pessoa transitando pelas ruas da cidade sem documento do carro ou com a carteira de motorista vencida (este exemplo faz muito sentido na América Latina)?

A ética e a moral são frutos do temor ao Senhor, e isso é o princípio da sabedoria. Entendeu?

Não temos de criticar a escuridão; precisamos acender a luz. Isso basta!

Agostinho de Hipona (354-430 d.C.), importante bispo e teólogo cristão influenciado claramente pela filosofia platônica, disse em seus escritos: "Não há lugar para a sabedoria onde não há paciência".[4]

Paciência remete a tempo. Não é de um dia para o outro que alcançamos essa dádiva. Ver a mudança e a atualização que esperamos em nós e naqueles que nos rodeiam exige paciência.

Mas, quando adentramos nessa rede ilimitada, nos damos conta de que valeu a pena toda a espera, pois agora temos acesso a informações preciosas.

Mudamos a nossa forma de falar. Ouvimos mais, pensamos melhor e nos tornamos mais significantes. Somos potencializados. Temos relevância.

Na nossa ignorância, por muitos anos pensamos que isso era função da fé. Cremos que, quando frequentamos uma igreja ou fazemos parte de uma religião, somos transformados em pessoas melhores.

---

[4] Santo Agostinho. **Confissões**. São Paulo: Saraiva, 2012.

Mas não é bem assim!

O pastor e empresário americano Dale C. Bronner, em seu livro *Change Your Trajectory* [Mude a sua trajetória],[5] diz que "a fé não substitui a sabedoria".

Quando li isso, tudo fez sentido para mim.

Veja Abraão: ele teve fé para obedecer a Deus e, mesmo sem garantias, saiu de sua terra para um futuro ainda incerto. Mas ele não teve sabedoria para deixar Ló em Ur dos caldeus e acabou levando-o consigo, ainda que a ordem de Deus tenha sido para deixar a parentela também.

Depois dessa decisão, Ló acabou se transformando em um problema para Abraão, tornando sua caminhada mais pesada. Ele estava no caminho certo, mas com as pessoas erradas. A fé fará você pegar a rota para o futuro, mas é a sabedoria que vai determinar como você chegará lá.

É por isso que muitos religiosos e pessoas espirituais não têm uma vida favorável. A fé não cumpre a mesma função da sabedoria. Podemos ter muita fé, e isso nos apontará um destino. Mas, sem sabedoria, vamos nos perder no caminho. Vamos escolher pessoas erradas para a caminhada.

A sabedoria nos presenteia com sobriedade emocional, equilíbrio espiritual e prosperidade financeira.

A sabedoria é a arma dos atualizados. Ela é o seu *upgrade*!

Quando a inteligência transcende o humano, nasce a sabedoria.

Pelo que venho estudando e pesquisando até hoje, não acredito que seja possível alcançar sabedoria sem passarmos pelo crivo da inteligência.

É como uma escada. A inteligência é um degrau que não pode ser pulado. Por isso, antes de buscar a sabedoria, desenvolva a inteligência.

A instrução contínua marca a diferença entre o inteligente e o sábio. O sábio nunca deixa de ser instruído e jamais se priva de passar seu conhecimento.

---

[5] Whitaker House, 2015.

O sábio não acredita que entende das coisas mais do que os outros. Tem plena convicção de que, quanto mais sabe, mais tem certeza de que nada sabe.

O inteligente pode ceder a essa tentação. Conheci e convivi com grandes mestres do conhecimento. Cientistas que, mais do que doutores, eram especialistas em tudo o que faziam. Andar com eles era um fardo pesado, pois eles geralmente são inflexíveis em sua forma de pensar. Põem em descrédito tudo o que não dominam e são muito focados em si mesmos. Para toda regra há exceções, mas em geral os muito inteligentes, que não se tornarão sábios, deixam de aprender.

O caminho que nos mantém em constante ascensão é o da atualização.

O sábio se atualiza diariamente.

Um dos lugares mais especiais que já visitei neste planeta foi a cidade de Éfeso, na Turquia. Lembro-me de ter adentrado os três quilômetros da cidade antiga, porém preservada, em assombro. Vendo aquele cenário arqueológico estarrecedor, deparei com a antiga — e hoje em pedaços — Biblioteca de Éfeso, com a estátua que representava a sabedoria.

Sofia é o nome da sabedoria humana. Teosofia, a de Deus. Os gregos não eram monoteístas; então a sabedoria era um deus para eles.

O mundo antigo reconhecia com altíssimas honras o valor do saber. O que aconteceu com a nossa geração?

Tanta informação, nenhuma atualização!

Acho que Platão foi infeliz em sua declaração: "Devemos aprender durante toda a vida, sem imaginar que a sabedoria vem com a velhice".

A sabedoria está no caminho, não no destino. Ela é inalcançável, mas está sempre por perto.

AS VANTAGENS DA SABEDORIA:

Eclesiastes 7.12: "A sabedoria oferece proteção, como o faz o dinheiro, mas a vantagem do conhecimento é esta: a sabedoria preserva a *vida* de quem a possui".

Você fala menos e ouve mais.
Você perde o interesse em falar dos outros, pois sabe as consequências.
Você gasta menos do que ganha.
Você aprende a solucionar problemas difíceis.
Você entende melhor o lado dos outros.
Você calcula matematicamente todas as decisões.
A razão assume o comando da emoção.
Você passa a querer aprender e ensinar cada vez mais.
Você se conecta com as pessoas certas.
O empírico é mais valorizado que o acadêmico.
Você percebe ambientes.
Você discerne pessoas.
Você vive!

Nelson Mandela (1918-2013), o grande líder sul-africano que lutou por liberdade, justiça e democracia, cita em seu livro *Apontamentos para o futuro: palavras de sabedoria*[6] uma frase que estava na carta escrita a Fatima Meer (1928–2010), autora sul-africana e ativista *antiapartheid*, quando era presidiário na ilha Robben, em 1976. É assim: "Uma boa cabeça e um bom coração sempre formarão uma combinação formidável".

Quando a cabeça (razão) está em equilíbrio com o coração (emoção), temos muitos resultados, mas um só fruto: a sabedoria.

LIÇÕES DO LIVRO DE PROVÉRBIOS PARA UMA VIDA ATUALIZADA

Os versículos a seguir foram extraídos da versão *Almeida Corrigida Fiel*.

"Filho meu, ouve a instrução de teu pai, e não deixes o ensinamento de tua mãe" (1.8). Ou seja, a sabedoria começa a ser adquirida na infância!

"Para fazeres o teu ouvido atento à sabedoria; e inclinares o teu coração ao entendimento" e "Não sejas sábio aos seus próprios olhos"

[6] Rio de Janeiro: Rocco, 2012.

O código da sabedoria

(2.2; 3.7). Não ache que você sabe tudo! Quem parou de aprender já começou a morrer.

"Apega-te à instrução e não a largues; guarda-a, porque ela é a tua vida" (4.13). Instruir-se é questão de sobrevivência.

"Beba água da tua fonte e das correntes do teu poço" (5.15). Ou seja, a sabedoria ensina você a se contentar com o que é seu.

"Vai ter com a formiga, ó preguiçoso; olha para os seus caminhos e sê sábio" (6.6). Portanto, um preguiçoso nunca é sábio. As duas coisas não combinam.

"Dize à sabedoria: tu és minha irmã; e à prudência chama de tua parenta" (7.4). Este versículo se refere à proteção da sabedoria, da mesma forma que a nossa família nos protege.

Aconselho que você leia todo o capítulo 8 de Provérbios exatamente agora. E, depois dessa leitura, prossiga nas linhas deste livro.

"Mas o que pecar contra mim violentará a sua própria alma; todos que me odeiam amam a morte" e "Repreende o sábio, e ele te amará" (8.36; 9.8b). Somente os sábios conhecem o valor da repreensão.

"Dá instrução ao sábio, e ele se fará mais sábio" (9.9). Somente os sábios amam a instrução.

"O temor do Senhor é o princípio da sabedoria, e o conhecimento do Santo, a prudência" (9.10). É por isso que o mundo não precisa conhecer uma religião. Precisa conhecer o Santo. Pois, aí sim, haverá prudência para não fazermos guerras, não ser injustos, não admitir a corrupção.

"O filho sábio alegra a seu pai, mas o filho insensato é a tristeza de sua mãe" (10.1). A sabedoria sempre irá nos conduzir a honrar os nossos pais.

"Na multidão de palavras não falta pecado, mas o que modera os seus lábios é sábio" (10.19). Ou seja, falar pouco é sabedoria.

"Em vindo a soberba, virá também a afronta; mas com os humildes está a sabedoria" (11.2). É impossível ser sábio sem ser humilde. A sabedoria anda distante da soberba.

"O mexeriqueiro revela o segredo, mas o fiel de espírito [sábio] o mantém em oculto" (11.13). Todo sábio guarda segredos. Quem os revela nunca conheceu a sabedoria.

"No coração dos que maquinam o mal há engano, mas os que aconselham a paz têm alegria" (12.20). Os conselhos dos sábios sempre são de paz!

"Da soberba só provém contenda, mas com os que se aconselham se acha a sabedoria" (13.10). Ou seja, a sabedoria nunca está onde a soberba se encontra. Ela está disponível nos conselhos.

"Em todo trabalho há proveito, mas ficar só em palavras leva à pobreza" (14.23). Com sabedoria, não somente planejamos, mas também executamos.

"O longânimo é grande em entendimento, mas o que é de espírito impaciente mostra a sua loucura" (14.29). A mansidão e o domínio próprio são amigos da sabedoria, mas a impaciência leva à loucura.

"Quando não há conselhos, os planos se dispersam, mas havendo muitos conselheiros eles se firmam" (15.22). Repito: a sabedoria está nos conselhos. E o mentoreamento é uma reunião de conselhos.

"O temor do Senhor é a *instrução* da sabedoria, e precedendo a honra vai a humildade" (15.33). Este versículo deve ser impresso e colado na porta do seu guarda-roupa ou no espelho do seu banheiro para que você o leia todos os dias.

"Quão melhor é adquirir a sabedoria do que o ouro! E quão mais excelente é adquirir a prudência do que a prata" (16.16). Quem disse isso foi o homem mais rico que já existiu neste mundo. Ainda assim, ele entendeu que a sabedoria e a prudência eram melhores do que o ouro e a prata.

"Até o tolo quando se cala é reputado por sábio; e o que cerra seus lábios é tido por entendido" (17.28). Mais uma vez, a sabedoria mostra a importância de falar pouco.

"O coração do entendido adquire o conhecimento, e o ouvido dos sábios busca a sabedoria" (18.15). A Bíblia cita a palavra "coração", em referência ao órgão como a sede das emoções, mais de 900 vezes, no Antigo e Novo Testamentos. Hoje, com o avanço da ciência, entendemos que a Bíblia falava a respeito do cérebro. Já o ouvido é a porta de entrada de um dos principais sentidos que formatam o pensamento humano: a audição.

Neste versículo, interpretamos, então, que o conhecimento é armazenado no cérebro, e a sabedoria é recebida pelo que ouvimos, formatando assim os nossos pensamentos.

"O que adquire o entendimento ama a sua alma; o que cultiva a inteligência achará o bem" (19.8). Entendimento e inteligência são os primeiros degraus da escada que leva você à sabedoria.

"A herança que no princípio é adquirida às pressas, no fim não será abençoada" (20.21). A sabedoria nos orienta a não fazer nada fora do tempo.

"Não há sabedoria, nem inteligência, nem conselho contra o Senhor" (21.30). Por isso, sem uma conexão espiritual, nunca entenderemos a sabedoria.

O capítulo 22 do livro de Provérbios merece atenção especial, como vemos a seguir.

"Vale mais ter um bom nome do que muitas riquezas; e o ser estimado é melhor do que a riqueza e o ouro" (22.1).

"O galardão [recompensa] da humildade e o temor do Senhor são riquezas, honra e vida" (22.4).

"Educa a criança no caminho em que deve andar, e até quando envelhecer não se desviará dele" (22.6).

"Não seja companheiro do homem briguento, nem ande com o colérico" (22.24).

O versículo 25 completa: "Para que não aprendas as suas veredas, e tomes um laço para a tua alma". A sabedoria deixa você exigente quanto às companhias. Como lemos antes, aprendemos a trilhar "os caminhos" daqueles com quem convivemos.

"Viste o homem diligente na sua obra? Perante reis será posto; não permanecerá entre os de posição inferior" (22.29). Seja o melhor no que você faz. Só entra em palácios quem tem qualidade para estar diante de reis.

"Quando te assentares a comer com um governador, atenta bem para o que é posto diante de ti, e se és homem de grande apetite, põe uma faca à tua garganta" (23.1,2).

"Não te fatigues para enriqueceres; e não apliques nisso a tua sabedoria" (23.4)

"Aplica teu coração à instrução e os teus ouvidos às palavras de conhecimento" (23.12).

"Compra a verdade, e não a vendas; e também a sabedoria, a instrução e o entendimento" (23.23).

"Com a sabedoria se edifica a casa, e com a inteligência ela se estabelece" (24.3).

"Com conselhos prudentes tu farás a guerra; e há vitória na multidão de conselheiros" (24.6).

Quantos conselheiros você tem atualmente?

"Se te mostrares fraco no dia da angústia, é que tua força é pequena" (24.10).

"Come mel, meu filho, porque é bom; o favo de mel é doce ao teu paladar. Assim será para a tua alma o conhecimento da sabedoria; se a achares haverá recompensa para ti e não será cortada a tua esperança" (24.13,14).

"Quando o teu inimigo cair, não te alegres, nem se regozije o teu coração quando ele tropeçar. Para que vendo-o o Senhor, seja isso mau aos seus olhos, e desvie dele a sua ira" (24.17,18).

"Não te glories na presença do rei, nem te ponhas no lugar dos grandes; pois é melhor que te digam: Sobe aqui; do que seres humilhado diante do príncipe que os teus olhos já viram" (25.6,7).

"Não te precipites em litigar, para que depois, ao fim, fiques sem ação, quando teu próximo te colocar em apuros" (25.8). Com sabedoria você evita guerras, discórdias e litígios. Com ela, você entende o valor da paz.

"Achaste mel? Come só o que te basta; para que porventura não te fartes dele, e o venhas vomitar. Não ponhas muito os pés na casa do teu próximo; para que se não enfade de ti, e passe a te odiar" (25.16,17). A sabedoria nos dá equilíbrio.

"Se o teu inimigo tiver fome, dá-lhe de comer; e se tiver sede, dá-lhe água para beber" (25.21).

"Comer mel demais não é bom; assim como a busca da própria glória não é glória" (25.27).

"Que outro te louve, e não a tua própria boca; o estranho, e não os teus lábios" (27.2).

Estes dois últimos versículos são essenciais para quem está almejando cargos de liderança. Deixe que os outros façam seu *marketing*.

"Leais são as feridas feitas pelo amigo, mas os beijos do inimigo são enganosos" (27.6).

"O que encobre as suas transgressões nunca prosperará; mas os que as confessa e deixa, alcançará misericórdia" (28.13).

"O homem sábio que pleiteia com o tolo, quer se zangue, quer se ria, não terá descanso" (29.9). Nunca discuta com o tolo. Não entre em conflito com ignorantes. Você sempre sairá perdendo.

"A vara e a repreensão dão sabedoria, mas a criança entregue a si mesma, envergonha a sua mãe" (29.15).

Independentemente da geração na qual vivemos, os princípios da sabedoria são imutáveis. Corrigir a criança e orientá-la no caminho correto continua sendo um princípio.

Esta seleção de códigos da sabedoria ainda é restrita. Poderíamos escrever muitas páginas sobre essas chaves que abrem e fecham portas no mundo em que vivemos.

Porém, acredito que deixo material suficiente para que você entre no processo para uma vida atualizada. Utilize sem restrições as instruções desse guia diário, que é o livro de Provérbios.

> Seja atualizado: a fé é o nosso vínculo com a eternidade, e a sabedoria é o caminho mais seguro até lá.

A ARTE DA COMUNICAÇÃO

Capítulo 4

"*Sessenta por cento de seus problemas corporativos e familiares ocorrem por falta de comunicação ou por má comunicação.*"

TIAGO BRUNET

ATUALIZANDO...

25% atualizado

A arte da comunicação

Entramos no quarto pilar da sua atualização. São 12 dias no total e, caso você esteja realmente lendo um capítulo deste livro por dia, estará no quarto dia desse programa.

É isso aí! Quase a metade do caminho para conquistar uma vida atualizada.

Agora você precisa entender o valor e a importância da excelência na comunicação.

FALHA NA COMUNICAÇÃO

Certa vez, eu e a minha esposa estávamos saindo de um *shopping* e fomos pagar o bilhete de estacionamento em um dos guichês. Ela perguntou ao atendente, que conversava com um segurança enquanto atendia, quanto tempo teríamos para sair do *shopping* após pagar o tíquete.

O sujeito respondeu: — Senhora, hoje é preço único. O que a senhora pagar valerá para todo o dia.

Ela pagou o valor, pegou o tíquete e saiu.

Sorri e perguntei se ela havia entendido o que o atendente disse. Ela balançou a cabeça afirmativamente, enquanto se dirigia a outra loja para ver preços.

Ainda sorrindo, chamei-a e expliquei o equívoco. Aí estava um claro exemplo de má comunicação. O mesmo que ocorre na nossa vida cotidiana e nos negócios todos os dias.

Na verdade, a minha esposa queria saber se após pagar o tíquete ela poderia ficar no *shopping* sem pressa para ir embora. O atendente entendeu que ela perguntava se o valor cobrado era por fração ou preço único.

Graças a Deus, eu a avisei que houve um erro de comunicação e saímos do *shopping*. Se tivéssemos ficado, teríamos de pagar duas vezes o tíquete e haveria uma tremenda discussão no guichê. E pior: ninguém assumiria a culpa. Afinal, foi uma falta de "atenção" dos dois lados.

Mas, no mundo em que vivemos hoje, um erro de comunicação custa muito. Custa pessoas, relacionamentos, salários, investimentos e até o futuro.

Tenho treinado líderes de vários segmentos no Brasil e no exterior. E, sempre que o faço, reforço que comunicação não é somente verbal. Na verdade, a linguagem corporal fala de forma ainda mais forte.

Quem já assistiu à série norte-americana de TV *Lie To Me* entende bem o que digo.

Quando as pessoas escutam você, estão ouvindo as suas palavras, mas também interpretando os seus gestos e as suas feições. A Programação Neurolinguística (PNL), ciência que estuda as relações entre o cérebro humano e a linguística, defende a importância de alinharmos o verbal e o corporal no mesmo propósito da mensagem que queremos passar.

Richard Bandler, americano cofundador da PNL, ressalta a necessidade de o ser humano desenvolvido se tornar um especialista no gerenciamento das expressões faciais, tons de voz, uso das mãos e da linguagem do corpo em geral.[1]

Ou seja, você pode estar falando uma coisa, enquanto o seu corpo está dizendo outra.

ATUALIZAÇÃO 4:
Você é o que você comunica, não somente o que você pensa ser.

A PRIMEIRA IMPRESSÃO AINDA É A QUE FICA

A comunicação do primeiro encontro influencia o tipo de relacionamento que será estabelecido no futuro. Para quem almeja liderar, a primeira impressão é importante, pois o cérebro armazenará a informação do que é e de quem é a pessoa nos primeiros dois minutos de conversa.

Todo relacionamento se baseia na interpretação de quem é a pessoa com a qual estamos nos relacionando. Esse "quem", geralmente, é definido pela forma que ela se expressa, não só por sua fama.

O aperto de mão, o olho no olho, a segurança nas palavras e a tonalidade da voz causam a famosa primeira impressão.

---

[1] BANDLER, Richard. **Tenha agora a vida que quer.** São Paulo: Lua de Papel/Leya, 2010.

Sempre que sou apresentado a alguém pela primeira vez, fico atento à minha linguagem corporal e também ao tipo de assunto que vou abordar. Geralmente, olhando para a pessoa, chamo-a pelo nome (isso tem uma importância significativa) e faço uma pergunta que a inclua, que a faça se sentir segura e que a valorize.

Há tempos, fui a um jantar e me apresentaram um grande empresário da cidade, bem-sucedido no ramo da gastronomia. Quando nos aproximamos, olhei nos olhos dele e disse:

— Pedro, que prazer conhecer você. Tenho escutado falar do sucesso dos seus restaurantes. Dizem que vocês têm o melhor bacalhau da cidade — elogiei, sorrindo.

Pedro também sorriu e começou a contar sua história. Fiquei vinte minutos apenas ouvindo, sem tirar os olhos e a atenção dele.

Nós nos despedimos, e cada um foi para sua mesa.

No final, um amigo em comum veio comentar que Pedro o abraçou e disse: — Obrigado por me apresentar a esse cara fantástico! Nossa, muito inteligente e educado. Gostaria de tê-lo como amigo convidado nos nossos restaurantes.

Eu fiz uma colocação, uma pergunta e o escutei por vinte minutos. Isso foi tudo.

A expressão do corpo é a denúncia da alma.

Um ditado romano expressa bem a arte da comunicação: "À mulher de César não basta ser honesta; ela tem de parecer honesta", como já mencionei no capítulo 1.

Somos o que comunicamos, não apenas o que pensamos ser.

Você pode esconder quem é você, mas só o faz quando está calado e imóvel. Falando e gesticulando, você revela muito sobre si mesmo.

Acredite: conheço líderes formidáveis que nunca terão destaque na sociedade porque não conseguem desenvolver a arte da comunicação. Dificilmente terão seguidores, já que não conseguem expressar seus ideais e motivações.

Não se trata de ter eloquência ao falar (apesar de isso ser bem importante), muito menos de rir ou ser simpático (o que também é fundamental). Trata-se de dominar as linguagens verbal e corporal, de saber gerenciar as palavras. Trata-se da abordagem estratégica.

LINGUAGEM VERBAL E CORPORAL

Você pode se comunicar com os olhos, com as mãos, com as sobrancelhas (uma forma muito comum) e de várias outras maneiras. Até pelo suor do corpo você comunica algo. Já pensou nisso?

As palavras são usadas apenas para a comunicação direta. Mas acredite: as pessoas utilizam no dia a dia muito mais a linguagem corporal do que a verbal. Por isso, homens como Barack Obama tinham tudo para não darem certo. Como a própria biografia do presidente dos Estados Unidos revela, ele nasceu em desvantagem, pobre, "estrangeiro" e negro em um país marcado pelo racismo.

O que tornou Obama o homem mais poderoso do mundo (durante seu mandato como presidente dos Estados Unidos, de 2009 a 2016) foi sua capacidade de se comunicar.

Digo o mesmo sobre Martin Luther King Jr. (1929-1968), o grande líder norte-americano da luta pela igualdade racial. Seus ideais eram fantásticos, mas foi sua forma de comunicá-los que o promoveu e estendeu seu legado.

GERENCIAMENTO DAS PALAVRAS

Algumas palavras potencializam ou enfraquecem a nossa capacidade de comunicação.

O uso da conjunção adversativa "mas", por exemplo, cancela tudo o que foi dito antes. Quem já ouviu a seguinte frase: "Fulano, você é gente boa, eu até gosto de você, você é um bom profissional e tudo, MAS..." sabe do que estou falando.

Essa é uma palavra de negação, de cancelamento. Deve ser evitada por alguém que tem uma vida atualizada.

A arte da comunicação

Poderíamos substituir facilmente o "mas" pelo "e se".

— Fulano, você é gente boa, eu gosto de você, como profissional você é excelente, e se começasse a chegar nos horários determinados pela diretoria, sua produtividade iria triplicar, e você evitaria desgastes com os colegas.

Ou seja: trocamos uma palavra de cancelamento por uma de encorajamento.

A palavra "não" também deve ser retirada do nosso vocabulário. Quem tem filhos sabe o poder que a palavra "não" tem para atiçar ainda mais as crianças a fazerem o que é proibido.

— Joãozinho, mamãe vai sair. *Não* faça bagunça. *Não* toque nisso. *Não* use o telefone...

Toda essa negativa leva o cérebro da criança a pensar em todas essas possibilidades.

O certo é passarmos as ordens e os comandos indicando o lado positivo do que queremos dizer.

— Joãozinho, mamãe vai sair. Comporte-se. Leia um livro ou assista a um programa educativo. João, fique apenas no seu quarto.

E por aí vai.

Outra linha sobre como gerenciar as palavras foi-nos ensinada por Salomão: "A resposta calma desvia a fúria" (Provérbios 15.1). O texto nos conduz a uma reflexão sobre o poder das palavras. O que falamos detona uma bomba-relógio ou a desarma.

O treinamento para gerenciar as palavras deve ser constante e permanente. Nunca estaremos suficientemente preparados.

O silêncio também é uma forma de comunicação. A pessoa sábia fala pouco, pois entende que informação é poder. Quanto mais você fala, mais poder está dando a alguém sobre você.

Gerenciar as palavras também inclui a arte do silêncio.

Quem conhece o poder de uma palavra valoriza mais o silêncio. Por isso, fale menos e escute mais. Guarde a língua, selecione as palavras. A sabedoria habita em quem prefere ouvir.

Tiago 3.2 expressa um pensamento poderoso: "Todos tropeçamos de muitas maneiras. Se alguém não tropeça no falar, tal homem é perfeito, sendo também capaz de dominar todo o seu corpo".

E continua pegando pesado nos versículos 8 a 12 em diante:

> A língua, porém, ninguém consegue domar. É um mal incontrolável, cheio de veneno mortífero. Com a língua bendizemos o Senhor e Pai e com ela amaldiçoamos os homens, feitos à semelhança de Deus. Da mesma boca procedem bênção e maldição. Meus irmãos, não pode ser assim! Acaso podem sair água doce e água amarga da mesma fonte? Meus irmãos, pode uma figueira produzir azeitonas ou uma videira, figos? Da mesma forma, uma fonte de água salgada não pode produzir água doce.

MUITO CUIDADO COM AS PALAVRAS!

Segundo a reflexão anterior, da sua boca não pode sair coisa boa e ruim ao mesmo tempo. Decida que tipo de " fonte" você é.

Veja um exemplo que vem da política brasileira. Apesar de ter sido eleita e reeleita presidente do Brasil, Dilma Rousseff atraía a crítica de muita gente. Mas aqui não cabe fazer uma análise política. O que chama a atenção é que alguns pronunciamentos de Dilma faziam dela alvo de muitas piadas e de farpas que minavam sua credibilidade como gestora da nação.

No fim de julho de 2015, ao encerrar seu discurso durante o lançamento do programa Pronatec Jovem Aprendiz na Micro e Pequena Empresa, ela afirmou: "Não vamos colocar uma meta; deixaremos em aberto e, quando atingirmos ela, nós dobraremos a meta".

Como assim? Se a meta vai ficar "em aberto", como ela poderá ser dobrada?

A frase de Dilma até hoje rende piadas e provocações. E quem se opõe a ela por motivos políticos tem nesse episódio uma riquíssima fonte de inspiração para novos ataques.

O caso é tão ruim que o que ficou gravado na lembrança de todos foi essa declaração, essa falha de comunicação. Quem se lembra de que, naquele dia, Dilma estava anunciando um programa para qualificar mão de obra de jovens e incentivar o empreendedorismo?

A declaração roubou o protagonismo do programa e fez da presidente motivo de chacota. Aliás, mais de seis meses depois, teve bloco de carnaval no Rio e em São Paulo desfilando com músicas que repetiam "vamos dobrar a meta".

Outro caso nacional envolve o apresentador de TV Luciano Huck, popular em todo o Brasil, com fama de bom moço e bom pai de família, tanto que é garoto-propaganda de um dos maiores bancos do país.

Na época da Copa do Mundo no Brasil, em 2014, Huck publicou, em seus perfis no *Twitter* e no *Facebook*, a seguinte mensagem: "Carioca? Solteira? Louca para encontrar um príncipe encantado entre os 'gringos' que estão invadindo o Rio de Janeiro durante a Copa? Chegou a sua hora... Mande fotos e diga por que você quer um gringo 'sob medida' ".

A mensagem dava início à produção de um novo quadro do *Caldeirão do Huck*, que ele apresenta na TV Globo, rede de maior audiência no Brasil. E o que poderia ser apenas mais um programa para juntar namorados na TV transformou-se num grande desastre para a imagem do artista.

É que, imediatamente às publicações, ele passou a ser acusado de "oferecer as brasileiras para estrangeiros". Militantes da luta pela igualdade de gênero e contra a exploração sexual bombardearam a mensagem do apresentador. E não só quem milita na área. Muitas mulheres e homens, cidadãos comuns, comentaram nas redes sociais que se sentiram ofendidos. É bem verdade que até houve quem achasse a proposta uma boa oportunidade. Entretanto, nesse caso, a crítica venceu, e Huck apagou as mensagens de seus perfis pouco depois de a polêmica crescer na Internet.

Horas depois de deletar o texto, no fim da tarde do mesmo dia das publicações, a Rede Globo emitiu nota dizendo que Luciano Huck, assim como toda a equipe de seu programa, "é contra qualquer tipo de violência e sempre apoiou campanhas contra a exploração sexual de mulheres".

Que tiro no pé, não acha? Programas de namoro da TV existem há anos e anos e nunca se viu tamanha oposição. Por que esse causou tanto protesto e repercussão? Simples: ele usou as palavras erradas.

ABORDAGEM ESTRATÉGICA

Certa vez, eu estava em um aeroporto, e um grande líder da nação estava na fila do *check-in* do mesmo voo que o meu.

Pensei por dois minutos que tipo de abordagem um desconhecido como eu teria de fazer para atrair a atenção daquele renomado senhor.

A abordagem estratégica é a capacidade de nos comunicarmos com qualquer pessoa, independentemente do nível, *status*, profissão, religião ou cultura.

Decidi, então, pedir um conselho. Nada atrai mais um ilustre do que ser reconhecido por seu conhecimento, não por sua fama.

Humildemente me aproximei e perguntei:

— Senhor Felipe [nome fictício], tudo bem? Eu me chamo Tiago Brunet. Sou estudante na área de desenvolvimento pessoal. O senhor se importa se eu fizer uma pergunta e pedir um conselho? Prometo não tomar seu tempo.

Em dez segundos, nesse primeiro contato, ganhei toda a atenção dele e um sorriso.

Ele respondeu: — Não me importo, garoto. Diga.

Olhando nos olhos dele, perguntei: — O senhor acredita que o nosso país tem solução? E, se sim, como o senhor acha que jovens como eu podem contribuir para algo realmente mudar?

Uma explicação: esse homem é uma importante personalidade política e religiosa do Brasil.

A pergunta foi pertinente. E ele sorriu mais uma vez e me questionou:

— Você quer realmente mudar o Brasil?

E eu retruquei: — Na verdade, quero contribuir de alguma forma.

Percebendo que pegaríamos a mesma aeronave, ele pediu para um assistente providenciar a minha mudança de assento e foi conversando comigo durante o voo, que durou uma hora e vinte minutos.

Conheço pessoas que, por serem superficiais e não dominarem a arte da comunicação, diante de pessoas influentes, em vez de pedirem conselhos ou escutarem suas experiências, pedem para tirar *selfies*.

Durante o voo, conversando com ele, aprendi que:

- Nem tudo o que você quer, você terá. Conviva com isso! Você nunca ficará rico atacando os ricos.
- Quem não entende de política está alienado de tudo. Não é porque você não acredita em algo que isso deixa de existir. Você acreditando ou não, a política governa você e a sua família.
- Dinheiro é importante, mas há coisas que só a fé resolve.

Até hoje, guardo o que anotei dessa conversa. Você acha que a conversa foi eletrizante? Pois é, uma hora e vinte minutos passaram como se fossem 1 minuto.

Ah... no final tiramos uma *selfie*.

COMUNICANDO-SE EM PÚBLICO

Com o avanço da neurociência e de tantos outros estudos da psicologia e da PNL, ficou bem entendido que o cérebro tem um combustível chamado glicose, que é consumido rapidamente.

Quando somos expostos a novas informações e conteúdos, a glicose é queimada em altíssimas proporções pelos milhões de neurônios que se ativam ao mesmo tempo para processar os novos dados.

E esse processo leva o nosso cérebro a um profundo desgaste. Por isso, em geral, o cansaço mental é comum quando estudamos, lemos, assistimos a palestras etc.

Assim, concluo que o tempo (a duração) de uma palestra ou qualquer tipo de comunicação em público é fundamental para evitar o desinteresse e cansaço dos interlocutores.

No livro *TED — falar, convencer, emocionar*, Carmine Gallo,[2] um dos maiores *coaches* da comunicação mundial, ensina, com base em suas pesquisas, que dezoito minutos são o tempo ideal para uma palestra em público.

[2] São Paulo: Saraiva, 2014.

Uma fala com menos de dezoito minutos deixa a impressão de que faltou conteúdo a ser comunicado. Já uma com mais de vinte minutos faz iniciar o processo acelerado de esgotamento da glicose do cérebro, o que provocará cansaço nos ouvintes.

Eis um desafio!

Qual o tempo ideal para as suas apresentações em público?

Busque o equilíbrio entre o conteúdo da mensagem que você deve transmitir e o estudo citado anteriormente.

Não precisamos ser rigorosos com o que Gallo nos ensina, mas também não podemos ignorar, pois se trata de uma pesquisa séria e com eficiência comprovada.

Muitos líderes, simplesmente, não têm seguidores ou influência porque não sabem usar com eficácia o tempo de comunicação em público ou não são claros quando transmitem suas ideias.

Se você durante uma palestra ou apresentação começa a repetir ideias, exemplos e histórias, quer dizer que esse é o tempo ideal.

PARE!

Em sua palestra intitulada "Como hablar?", ministrada para líderes na capital da Guatemala, Cash Luna, pastor da "Casa de Dios", uma igreja referência naquela região, explicava como aproveitar bem o tempo de uma apresentação e ser relevante na comunicação.

Cash exibiu um vídeo para o público presente de uma breve oportunidade que teve em uma megaigreja no Texas, na qual estava assistindo a uma conferência. O líder da igreja, sabendo que o ilustre conferencista guatemalteco estava presente, concedeu cinco minutos para ele dar uma "palavrinha".

Honrar o tempo que nos é concedido é um sinal de maturidade. E esse, que foi eleito um dos maiores expositores da América Latina, usou apenas 1,58 minuto de seu tempo; o resto quem gastou foi o seu tradutor do espanhol para o inglês.

Nesse aparente pouquíssimo tempo, Cash Luna agradeceu ao anfitrião, fez uma piada de bom gosto com o palestrante que havia acabado de ministrar, compartilhou uma mensagem direta e assertiva de instrução e finalizou com um brilhante conselho para os líderes, sob os aplausos dos milhares presentes.

A arte da comunicação

STORYTELLING: CONTANDO HISTÓRIAS PARA CRIAR UMA CONEXÃO

Para conquistar o cérebro humano, nada funciona melhor do que contar histórias. Os ouvintes amam e se identificam!

Geralmente, as pessoas querem ouvir mais sobre a sua dor do que sobre as suas vitórias.

Algumas histórias de sucesso parecem fantasiosas, inatingíveis ou até cheias de orgulho. Já as histórias de superação são um banquete para a alma.

Todos se conectam a você.

Barack Obama fez isso em 2004, em seu famoso discurso nas prévias do Partido Democrata, em Chicago. Logo após a introdução do discurso, ele contou como seu pai e avós, estrangeiros africanos, foram recebidos na América. O povo ficou perplexo. Ele cativou a cada um. Ninguém sequer piscava enquanto Obama falava.

O político levou o público a imaginar as dificuldades de quem não tem oportunidades em seu próprio país e a pensar como a América se tornara uma mãe para as nações da terra.

Como todos já sabem, o final do discurso foi um sucesso. E, anos depois, Obama ganhou as eleições, tornando-se o primeiro presidente negro dos EUA.

DOMÍNIO DO IDIOMA

Todo idioma se compõe mais ou menos da mesma forma: o alfabeto, a ortografia, a lista de fonemas e suas combinações, as regras básicas da morfologia e da sintaxe.

Acredite: um erro de português (no nosso caso) pode tirar o crédito de todo um discurso.

O autoenriquecimento intelectual, o acesso à cultura e o uso da inteligência comparativa, crítica e analítica afiam as habilidades da comunicação e da expressão.

Por fim, aprenda a se comunicar de forma multifocal. Corpo, alma e espírito integrados em uma só mensagem. O resultado será o sucesso de tudo o que você comunica.

É importante lembrar que, como qualquer outra arte, aprender a se comunicar com efetividade pode levar um tempo. Exige estudo e treinamento.

Se você está lendo este livro, já está no caminho certo.

Não desista!

Comunicar-se é uma arte, não apenas um método!

O que diferencia uma arte de um método?

A alma. É preciso ter sentimento.

Você é um bom comunicador?

As pessoas entendem o que você quer dizer?

Como você se sai falando em público? Você tem algum medo?

Você usa bem a linguagem verbal e corporal?

_____
_____
_____
_____

O que você fará a partir de agora para melhorar a sua comunicação?

_____
_____
_____
_____

> *A arte da boa comunicação não nasce em você; ela é desenvolvida por você.*

O *MARKETING* DE JESUS

Capítulo 5

"O melhor CD que escutei em toda a minha vida vendeu apenas 3 mil cópias."

TIAGO BRUNET

ATUALIZANDO...

34% atualizado

Tempos atrás, um amigo me presenteou com um CD. Lembro-me como se fosse hoje da primeira vez que o coloquei para tocar no som do carro.

No trajeto entre a minha casa e o escritório, foi possível ouvir as três primeiras músicas. E as ouvi debaixo de profunda emoção. Algo naquele CD mexia com o meu interior; era como se fosse aquele abraço que nos arranca lágrimas.

As letras eram muito profundas e inteligentes; as melodias me envolviam como se fossem uma espécie de sussurro do bem-estar. Que composições! Que voz! Os meus sentimentos estavam ali, expostos, ao som daquelas canções.

Foi tão especial que desejei conhecer aquele cantor um dia. Eu precisava dizer a ele quanto aquele disco havia me influenciado e tinha transformado por diversas vezes o meu dia. Ele precisava saber que aquele, sem dúvida, era o melhor álbum que eu já tinha escutado na minha vida. E olha que escuto muita coisa.

Até que fui ministrar uma palestra em um grande evento de liderança em São Paulo e, para a minha surpresa, o tal cantor era um dos convidados também. Não acreditei!

Para melhorar e facilitar uma possível (e tão esperada) conversa, estávamos hospedados no mesmo hotel. Por conta disso, acabamos jantando juntos.

No encontro, tive a oportunidade de agradecer por tamanho talento e por sua dedicação a essa arte inefável que é a música.

E, logo depois de eu despejar um caminhão de elogios, o exímio artista, para minha surpresa, confessou uma frustração com aquele CD. Nem acreditei, mas ele contou que o disco, do lançamento até então, só tinha vendido 3 mil cópias. Fiquei meio sem saber o que dizer, mas continuei a conversa:

— Apenas 3 mil? — questionei, para exclamar em seguida: — Mas há 7 bilhões de seres humanos que precisam ouvir isso!

O cantor ficou balançando a cabeça positivamente. Eu continuei:

— Se mudou minha vida, vai transformar a deles também — insisti.

Aquela informação provocou em mim um estranho sentimento de revolta. Como adoro estatísticas e pesquisas, procurei saber qual seria o motivo para que toda aquela beleza em forma de notas musicais não estivesse em todas as prateleiras do Brasil e do mundo.

Depois de muito estudo e investigação, bati de frente com a realidade. A perfeição de uma canção só tem efeito se ela se permite conhecer.

Quero dizer que faltaram o *marketing* correto, a propaganda inovadora e a divulgação estratégica. O CD era fantástico, mas quase ninguém ouve mais esse tipo de mídia.

"Pois como ouvirão se não há quem anuncie?"

(Paulo de Tarso)

E, ao mesmo tempo, como fazer *marketing* sem se autopromover e desgastar a própria imagem ou a do produto?

Primeiro, acredito que, no caso de um líder, a mensagem precisa ser mais importante do que o mensageiro.

Assim trabalha uma vida atualizada: divulga a verdade e acaba sendo promovida com ela.

Aquilo que fazemos é o que deve ser eternizado, e não, necessariamente, a nossa imagem.

Ninguém sabe como era o rosto de Jesus de Nazaré, mas quase todos os 7 bilhões de habitantes do Planeta já escutaram sobre seus feitos.

Essa é a diferença de herança e legado. Aprendi com um colega de *coaching* e professor da Universidade na Flórida, o dr. Benny Rodriguez: "Herança é o que você deixa para alguém. Legado é o que você deixa em alguém".

A sua mensagem ficará nas pessoas para sempre; a sua imagem, apenas por algum tempo. Haja vista os casos dos artistas muito famosos no passado, mas que hoje em dia andam anonimamente nas ruas da cidade, sem serem reconhecidos, sem receber de ninguém um pedido de autógrafo.

Os meios que promoviam pessoas e trabalhos antigamente não são mais os mesmos. A Internet agora é a mãe da fama.

O Netflix já fatura mais do que duas das principais redes de TV da América Latina.

O *Youtube* tem mais visualizações por minuto do que qualquer programa de TV.

Quando alguém quer saber de uma notícia de última hora, não compra o jornal, não liga a TV nem abre a revista da semana. Agora, basta acessar o *Twitter* e... *boom!* Está tudo ali.

Por isso, a Internet é tão procurada. Ela deu lugar para que todos pudessem "aparecer".

Mas, mesmo com a democratização do *marketing* por meio da Internet, nem todos brilham, pois o conteúdo sempre será o motivo pelo qual as pessoas procuram algo.

ATUALIZAÇÃO 5:
O que se divulga é mais importante de quanto se divulga.

Há muita gente divulgando *muito* algo que ninguém quer comprar. Há pessoas que estão esgotando todos os seus recursos investindo em um produto ou imagem que nada acrescentam à vida das pessoas. Estes, consequentemente, não tocam a alma do público em geral.

É por isso que, após eu ter viajado dezenas e dezenas de vezes a Israel, as pessoas me perguntavam o que Jesus fez para se tornar o nome mais famoso da História.

Depois que ele desvenda seu destino ao ser flagrado ensinando os doutores da lei com apenas 12 anos, Jesus se retira para um treinamento anônimo. Dos 12 aos 30 anos, ele desaparece da história. Na verdade, estava vivendo sua rotina, desenvolvendo habilidades, aprendendo a lidar com as pessoas, crescendo em conhecimento e sabedoria. Uma verdadeira escola para os três anos e meio de muito trabalho que viriam pela frente.

Ao sair do "treinamento", Jesus descobre seu prazo. A Bíblia é clara quando menciona que Jesus sabia que iria morrer na cruz. Ele discernia os tempos. Quando foi batizado no rio Jordão por seu primo João Batista, Jesus começou seu empreendimento na terra, e ele sabia que teria apenas três anos e meio para cumprir seu propósito de vida.

Com o prazo apertado, ele percebeu que sem uma equipe não conseguiria ir longe. Então, deu início a um processo de recrutamento de jovens galileus, a fim de preencher as vagas de *talmidim* (discípulos).

O fantástico disso tudo foi a inteligência com que Jesus fez as coisas. Ele era um excelente administrador do tempo e um exemplo como gestor de pessoas.

Ao formar sua equipe, ele definiu sua base: Cafarnaum!

Todos queriam estar em Jerusalém, a capital religiosa do mundo. A glória, o *glamour* e os holofotes estavam ali.

Qualquer um que quisesse se promover iria morar em Jerusalém, a cidade onde tudo acontecia.

O grande templo dos judeus estava ali, bem como os políticos, a classe alta sacerdotal, o Sinédrio, os doutores da lei, as famílias importantes e os meios de comunicação da época. Tudo e todos estavam em Jerusalém.

Então, por que Cafarnaum?

Como veremos mais à frente, Jesus estava criando uma maneira revolucionária de fazer *marketing*. É o que eu chamo de o "*Marketing* de Jesus".

Cafarnaum era uma cidade à beira-mar com um importante porto. Uma cidade apolítica, na qual nenhum dos Herodes tinha influência direta. Jesus ficaria livre para crescer.

E o mais importante: Cafarnaum era a cidade-pedágio da via Maris, a mais importante estrada romana daquela época, uma rota comercial que ligava o Egito a Damasco, o Oriente ao Ocidente.

Muitas caravanas religiosas, centenas de comerciantes e legiões de soldados romanos passavam ali diariamente. Alguns pagavam pedágio e seguiam. Outros pernoitavam.

Foi ali que Jesus realizou a maioria de seus milagres. A Bíblia diz em Mateus 4.24: "Notícias sobre ele se espalharam por toda a Síria".

Quando Jesus curava um cego, quem estava indo para Damasco levava a notícia para um lado dessa rota. Quando ele levantava os aleijados, quem estivesse a caminho de Jerusalém, ou seja, no sentido contrário da rota, anunciava o que tinha visto. Assim, todas as terras ao derredor ficaram sabendo que existia um homem que estava usando seu poder para ajudar o povo. E sua fama correu.

O marketing de Jesus

Antes de divulgar seu trabalho, Jesus planejou estrategicamente para alcançar seu objetivo e otimizar o tempo.

Cafarnaum, além de ser uma cidade estratégica, era um lugar que se preparou para receber Jesus. O Mestre era querido e esperado ali. As pessoas amavam escutar o que ele tinha para dizer.

Em Jerusalém, ele disputaria palanque com muita gente e até poderia morrer antes do tempo. Foi o próprio Jesus quem disse: "Jerusalém, Jerusalém, você, que mata os profetas e apedreja os que lhe são enviados".

Aquele não era um local estratégico para Jesus, apesar de ser o lugar onde todos queriam estar. Jesus só atuava onde era aguardado, nos lugares em que preparavam algo para ele.

Ele não forçava portas; entrava por elas. Ele não divulgava que sua agenda estava aberta; cumpria sua rotina fazendo história.

Todos queriam ficar perto dele.

Jesus foi exemplo em tudo, até na maneira correta de fazer o que chamamos de propaganda e *marketing*.

> **Toda visão empreendedora é virtual. Ou seja, a sua visão está apenas na sua mente. Ainda não é real.**

Você tenta enxergar o futuro por meio de previsões. A ponte entre o dia de hoje e o seu destino se chama *estratégia*.

Por isso, nenhuma visão tem sentido se não for acompanhada por uma estratégia. *A estratégia desvirtualiza uma ideia e materializa um sonho.*

O *marketing* é a estratégia que traz uma ideia à realidade.

No mundo de hoje, as pessoas gostam mais de entretenimento que de entendimento. Se você postar uma foto em sua página no *Facebook* na qual aparece comendo alguma coisa, brincando com animais ou contando uma piada, essa publicação terá mais curtidas do que se postasse um poema, uma preciosa informação ou algum tipo de conhecimento.

Mas, com a estratégia correta, podemos atrair os "entretidos" com a isca da diversão e transmitir informação para aumentar o conhecimento.

Em uma das minhas viagens a Dubai, comprei, no moderníssimo aeroporto de lá, o livro *My Vision: Challenges in the Race for Excellence*, do xeique Mohammed Bin Rachid al Maktoum,[1] e fui lendo no voo de volta ao Brasil. Entendi claramente nas palavras do xeique que entre o sonho de construir Dubai, algo pensado nos anos 1990, e a realidade atual foi necessário o emprego de uma estratégia.

Fiquei intrigado com a história e fui investigar como alguém pôde garantir que um projeto audacioso e inovador como a cidade de Dubai daria certo.

As primeiras coisas que identifiquei nesse caso foram perguntas ao estilo *selfcoaching* que ele fez.

Por que as pessoas deixariam de visitar Paris, Roma, Londres ou mesmo Nova York e a Disney para viajar para o meio do deserto dos Emirados?

Era o que o xeique se perguntava.

O que faria um ocidental deixar de lado as maravilhas que a Europa, o Caribe e as Américas podem proporcionar para sofrer o calor de 50 graus dos Emirados?

Foi aí que nasceu a estratégia. E o nome dela era Emirates.

Uma companhia aérea criada e desenvolvida para ser a melhor em tudo e para todos. Tratando-se de classe econômica, assentos confortáveis, TVs maiores que o padrão das outras companhias, 300 opções de entretenimento, um bom cardápio de refeições, equipe de comissários poliglotas e atenciosos. Além de tudo isso, as melhores conexões e preços.

Certa vez, eu estava me preparando para ir a Tóquio, no Japão, onde daria uma palestra para líderes. Ao procurar os melhores e mais baratos voos pela Internet, notei que os da Emirates eram sempre os selecionados.

Até para chegar em Israel com grupos religiosos (por dez anos fui CEO de uma empresa de turismo internacional especializada em Europa e Oriente Médio), a Emirates era uma excelente opção.

Mesmo os Emirados Árabes sendo inimigos declarados do Estado judeu, eles faziam o voo entre o Brasil e Amã, na Jordânia, com conexão em Dubai. De lá, era necessário entrar por terra (cerca de uma hora e meia de ônibus) em Israel.

[1] Motivate Publishing, 2012.

Acredite: eles davam um jeito de ser os melhores sempre. Que visão de excelência!

Quando viajei ao Oriente Médio, a Emirates tinha o melhor voo. Se o destino era a China... a mesma coisa. Eles nos cercaram! Tornaram-se a melhor opção. A estratégia estava justamente nessa "conexão".

No início da Emirates, ao viajar pela companhia, o passageiro precisava dormir em Dubai e ficava hospedado por conta da própria empresa. Assim, muita gente passou a conhecer a cidade e a falar sobre ela pelo mundo. Pronto, a divulgação boca a boca foi enorme. Na verdade, gigantesca.

Anos depois, a Emirates se consolidou no mercado.

E você, qual é a sua estratégia de *marketing*?

O *MARKETING* DE JESUS

Jesus, na minha opinião, foi o maior "marqueteiro" que já passou pela terra. Falo isso no melhor sentido da palavra, ok?

Pense comigo: alguém que passou pela terra há mais de dois mil anos, em uma época que não havia telefone, jornal, *outdoor*, Internet, *Facebook*, *Youtube* e nenhuma tecnologia de comunicação, e, ainda assim, tornou-se o homem mais famoso da humanidade, merece esse título, concorda?

Jesus tinha uma forma muito especial de divulgar seus feitos. Ele sabia exatamente o que fazer para marcar seu nome e sua mensagem para sempre. Repare que sua imagem não era tão importante. Aliás, como já dissemos, hoje em dia ninguém sabe como Jesus era fisicamente.

Entenda: ele jamais se autopromoveu; pelo contrário, sua forma de fazer *marketing* é muito peculiar. Por vezes, ele pedia que as pessoas não falassem quem ele era e o que tinha feito.

Acredite, enquanto hoje pagamos para nos divulgarem e para falarem de nós, naquele tempo, Jesus não admitia que fizessem isso com o nome dele.

Ele até permitiu que divulgassem sua mensagem: "Vão pelo mundo todo e preguem o evangelho a todas as pessoas" (Marcos 16.15). Mas não fez o mesmo com seu nome.

Para ele, a mensagem deveria ser mais importante do que o mensageiro, como já foi dito antes. Mas, sabe-se hoje que, quando a mensagem é divulgada, o mensageiro é promovido.

Mesmo sem autopromoção ou tecnologia, o nome de Jesus é o mais conhecido e citado dos últimos dois mil anos.

A PNL nos mostra que a palavra "não" leva a nossa mente a pensar no que nos foi proibido e ativa a nossa vontade de quebrar regras. A palavra "não" funciona para o nosso cérebro como um indutor neurótico do "sim".

Experimente dizer a alguém: não olhe para mim agora!

Você já sabe o que vai acontecer, não sabe?

A pessoa vai olhar com mais atenção do que se você não tivesse dito nada.

Quando fazia um milagre, Jesus dizia assim: "Vão em paz e *não* falem para ninguém quem os curou".

Era como se estivesse ordenando àquelas mentes: "*espalhem para todos, e rapidamente!*".

Ele também gostava de promover os outros em vez de a si mesmo. É como mostra o caso contado na Bíblia sobre uma mulher que quebrou um vaso de alabastro, contendo um precioso perfume, derramou-o nos pés de Jesus e tentou enxugá-los com os próprios cabelos.

Jesus disse: "Onde esta mensagem for anunciada pelo mundo, que a *atitude dela* seja lembrada!" (cf. Mateus 26.13).

Ele quis que a atitude dela fosse lembrada, não o nome dele. Raro, não?

O *marketing* de Jesus é diferente de tudo o que vemos hoje. Vai contra as leis da propaganda atual.

Vamos analisar algumas referências somente em um dos quatro livros biográficos de Jesus, o de Mateus.

Jesus cura um leproso e pede que ele não diga a ninguém (8.3,4). Essa passagem chega a ser engraçada. Jesus diz: "Cuidem para que *ninguém* saiba disso" (9.30).

E, no versículo 31, o texto informa: "Eles, porém, saíram e espalharam a notícia por toda aquela região".

E, em Mateus 14.1, ficamos sabendo que o rei Herodes, o tetrarca, ouviu falar da *fama* de Jesus (*Almeida Revista e Atualizada*).

Como pode ficar famoso um homem que solicita explicitamente para ninguém falar dele?

Em uma conversa íntima com os apóstolos, Pedro reconhece que Jesus é o Cristo prometido a Israel. Então, Jesus dá uma *ordem* expressa: "que não contassem a ninguém que ele era o Cristo" (16.20).

Jesus pede aos próprios discípulos que eles não falem para ninguém que ele é o Messias.

Jesus se transfigura (algo sobrenatural) na frente de três de seus discípulos e, ao descer do monte em que estavam, pede veementemente: "Não contem a ninguém o que vocês viram" (17.9).

Acredite: quando há algo de especial em você, por mais que queira ocultar, isso será impossível. "Ninguém acende uma candeia e a coloca debaixo de uma vasilha" (5.15).

Se você não nasceu para algo que hoje deseja, se não é o seu propósito na terra, não adianta gastar milhões em propaganda. No fim, terá sido apenas perda de tempo, dinheiro e esforço.

Todos nós nascemos para algo relevante. Apenas tenha certeza do que é esse "algo", antes de investir nele.

Direção confiável, avanço constante!

Quando usamos a estratégia certa, a metodologia exata, o modelo bem-sucedido, estamos sempre na direção confiável, e o nosso avanço é constante. Pode ficar lento de vez em quando, mas não para, pois sabemos o destino.

Às vezes, não pensamos; apenas reagimos. E proporcionamos aquilo de que nos arrependeremos profunda e amargamente no futuro.

Amo um pensamento de Andy Grove, ex-CEO da Intel Corporation, sobre promover algo. Diz assim: "Devemos sintetizar pensamentos complexos em frases curtas que atravessem grandes distâncias e tenham o mesmo significado para pessoas com diferentes experiências".[2]

Uau!

---

[2] GROVE, Andrew S. **Só os paranoicos sobrevivem**. São Paulo: Futura, 1996.

Isso me faz lembrar uma passagem bíblica do profeta Habacuque: *"Escreva claramente a visão em tábuas, para que se leia facilmente"* (2.2).

Todos devem compreender bem qual é a sua visão para que possam divulgar a sua missão.

Às vezes, as pessoas sentem receio de divulgar amplamente a nossa missão (aquilo que estamos fazendo hoje), pois não conseguem ver claramente aquilo que dizemos, que é a visão (o nosso futuro, aonde queremos chegar).

Sendo assim, seja claro, direto e sincero nas suas colocações, anúncios e projetos.

O tamanho do seu inimigo apontará o tamanho da sua fama!

Não estou falando sobre a fama que conhecemos hoje, e sim como ela é citada na Bíblia: *"e por toda aquela região se espalhou a sua fama"* (Lucas 4.14).

Quem era Davi antes de enfrentar Golias? Um desconhecido. Foi esse gigante que o promoveu em todo o Israel.

Quando Jesus ficou famoso em Jerusalém? Quando os fariseus e a alta classe sacerdotal se voltaram contra ele.

Nós somos do tamanho da nossa oposição. Somos como espelho dos nossos inimigos.

Sem oposição, somos "café com leite".

Foi a traição dos irmãos que colocou José no Egito. E lá ele se tornou poderoso, após vencer muitas dificuldades.

Aonde os seus inimigos fizeram você chegar? Como eles o promoveram?

QUANTO AOS OPOSITORES

Dias atrás, fui ministrar em uma megaconferência no norte do Brasil. Quando digo mega, refiro-me a algo extragrande. Era como a areia do mar: impossível de contar.

Quando cheguei ao lugar que prepararam para os preletores, encontrei o líder que organizava o evento. Abraçamo-nos e, imediatamente, perguntei: — Como você me conheceu?

Eu estava a ponto de ministrar em um evento histórico naquela cidade e, na verdade, não estava claro para mim por que eu estava ali. Eu não conhecia ninguém da organização.

Foi então que esse líder do evento me disse que no jantar conversaríamos sobre isso. Fiquei ansioso.

Após cumprir a missão do dia, centenas de pessoas se aproximaram para que eu autografasse os livros que escrevi e que estavam à venda lá, e para que eu lhes desse uma palavra de ânimo. Fiquei cerca de uma hora ali, mas com a cabeça no que aconteceria no jantar.

Assim que terminei de tirar fotos e autografar os livros, corri para o carro que me levaria ao restaurante. Sentei ao lado do organizador do evento e, curioso, perguntei: — E aí, como você me encontrou? Por que estou aqui?

Sorrindo, ele me disse: — Um famoso líder da cidade veio à minha casa e começou a difamar você. Disse coisas bem constrangedoras sobre você. Na verdade, eu nunca tinha ouvido falar no seu nome.

Ele continuou: — Esse homem falava mal de você; ele o atacava com vontade. Havia muito ódio nas palavras dele. A minha esposa, ao escutar o seu nome, buscou na Internet e começou a assistir a um vídeo seu falando sobre inteligência emocional. Quando aquele líder da cidade saiu da minha casa, cheguei ao nosso quarto, e a minha esposa estava na cama com o computador nas mãos, dizendo: "Assista a isso aqui!".

Aquela aula sobre emoções que gravei e transmiti via Internet mudou o relacionamento do casal, que já completava trinta anos. Os resultados foram tantos que eles entraram no meu *site*, deixaram um depoimento e me enviaram o convite.

Um "inimigo" ampliou os meus territórios.

Não tenha medo dos opositores. Eles só existem para abrir caminhos para o seu futuro.

Eu não sabia quem era, até que os meus inimigos me expulsaram da minha zona de conforto direto para o meu destino.

GESTÃO DO TEMPO
Capítulo 6

"*Tempo é dinheiro para quem tem dinheiro.
Para quem não tem dinheiro, tempo é apenas tempo.*"

AUTOR DESCONHECIDO

ATUALIZANDO...

42% atualizado

O TEMPO

O tempo é a moeda desta geração. É o que define o que você pode ter ou ser.

O melhor pianista do mundo não conquistou esse título com dinheiro, e sim com tempo. Você pode pagar 1 milhão de dólares para se tornar especialista em algo e, ainda assim, não terá garantias de que isso vai acontecer. Mas, caso invista dez horas diárias estudando a área, há grandes chances de você se transformar no que deseja.

O dinheiro compra a festa de casamento dos sonhos, mas é o tempo investido que leva a pessoa amada ao altar.

Como o tempo pode ser tão valioso e tão desvalorizado?

A falta de inteligência e de sabedoria tem levado muitas pessoas a perderem o discernimento do que realmente é importante.

Certa vez, em uma conferência, chamei uma mulher à frente para ser voluntária em uma demonstração. Eu queria mostrar ao público como protegemos categoricamente o que não é essencial e perdemos as coisas mais importantes, pois, quando focamos em algo específico, perdemos a visão do geral.

Perguntei na plataforma àquela jovem com longos cabelos:

— Querida, você me permite cortar os seus cabelos agora e depois passar a máquina para deixar você completamente careca?

Ela sorriu, franzindo a testa, expressando "medo"... — De jeito nenhum! — foi a resposta.

— Por que não? — perguntei.

— Porque amo o meu cabelo e ficaria envergonhada sem ele. Jamais deixaria alguém cortá-lo assim.

Então dei uma segunda opção àquela mulher.

— Pense, você prefere que eu corte os seus cabelos ou os dez dedos das suas mãos?

Com olhos esbugalhados, ela respondeu em fração de segundos:

— Os cabelos... Corte os meus cabelos.

Como é possível que momentos atrás ela tenha declarado que jamais deixaria alguém cortar seus cabelos e segundos depois autorizar o corte?

Fica claro que é bem melhor perder os cabelos, que crescem de novo com o tempo, do que os dedos, que jamais voltarão a crescer.

O que quero mostrar é que tem muita gente lutando pelos cabelos e perdendo os dedos das mãos. Batalhando pela empresa e perdendo a família. Ganhando muito dinheiro e perdendo todo o seu tempo.

> *Cabe a Deus conceder-nos a bênção do tempo, e cabe a nós saber utilizá-lo.*

Mark Zuckerberg, cofundador e CEO do *Facebook*, contou, em visita a uma famosa universidade norte-americana, o porquê de usar as mesmas roupas sempre. Na verdade, não se trata da mesma roupa, e sim de uma coleção incontável de calças *jeans*, camisetas de cor cinza e tênis.[1]

Segundo Zuckerberg, ele não dispõe dos minutos necessários para escolher uma roupa. Assim, com o guarda-roupa de peças idênticas, ele pode se arrumar em segundos.

Alguns acham exagero. Mas um bilionário influenciador de uma geração, como ele, conhece bem o valor do tempo.

Essa valiosa moeda é a riqueza da nossa geração. O tempo não para. O tempo é traiçoeiro. Às vezes, inimigo. Mas pode ser amigo, se usado com sabedoria.

A revista americana *Fortune* publicou, em 2015, uma grande reportagem sobre a produtividade de Steve Jobs (1955-2011), o cofundador da Apple, durante reuniões.

---

[1] **Revista Exame**, 7 nov. 2014. Disponível em: <http://exame.abril.com.br/tecnologia/mark-zuckerberg-responde-porque-usa-a-mesma-camiseta-todos-os-dias/>. Acesso em: 11 dez. 2016.

Basicamente, Jobs era neurótico em otimizar o tempo. Colegas de trabalho relataram nessa entrevista que, diversas vezes, o CEO da Apple expulsou pessoas "desnecessárias" das reuniões. Para ele, quanto menor o número de pessoas na sala, mais produtivo seria o debate.[2]

Os homens e mulheres realmente bem-sucedidos na vida são fanáticos pela gestão do tempo.

E você?

Como você administra o seu dia?

Como você planeja o seu mês?

O que você espera do seu ano?

[2] GALLO, Carmine. **Faça como Steve Jobs**. São Paulo: Leya, 2010.

*"Quando você é pequeno, o tempo é grande.
Quando você é grande, o tempo é pequeno."*
(Ditado jamaicano)

Quanto mais você planeja, sonha e se desenvolve, mais valoriza o seu tempo. Barack Obama tem as mesmas vinte e quatro horas por dia que você tem. Mas será que ele as utiliza da mesma forma que você?

A maioria dos homens e mulheres que marcaram a História teve o mesmo relacionamento com o tempo.

Eles dormiam de quatro a seis horas por dia. Despertavam bem cedo para meditação e exercícios físicos. Chegavam a seu local de trabalho antes que todos e começavam a superadministrar minuto por minuto até o dia findar.

ATUALIZAÇÃO 6:
Você controla o tempo, ou ele controla você.

*"O seu tempo é limitado. Não o desperdice
tentando viver a vida dos outros. Não permita
que a opinião alheia cale a sua voz interior."*
(Steve Jobs)

Não permita que os minutos da sua hora, as horas do seu dia, os dias da sua semana, as semanas do seu mês e os meses do seu ano sejam em vão. Dê um destino a cada um deles.

Não existe tempo livre para quem sonha alto. Em todo momento, devemos estar investindo no nosso propósito. A fila do banco só é chata para quem não sabe lidar com o tempo. A mesma fila pode ser um oásis de literatura para quem sabe o que quer. Tenha sempre um livro à mão.

Aliás, você pode trocar aquele programa de TV pela leitura de uma biografia ou de uma revista sobre um assunto interessante. A TV oferece imagens prontas e altamente manipuladas. Isso não desenvolve o seu intelecto. Já os livros... Ah... os livros... Eles oferecem possibilidades. A sua mente se esforça para criar as imagens daquilo que você está lendo. Você solta a imaginação, e a sua inteligência começa a se desenvolver.

Portanto, utilize o seu tempo para crescer, para aprender e para servir.

> *"O tempo voa. Mas a boa notícia é que você é o piloto."*
> (Autor desconhecido)

O tempo revela amigos, desvenda segredos e esconde mistérios. O tempo é sagrado, o tempo é justo, mas tem um ar de injustiça. O tempo, sagaz, nos engana. Quando dele necessitamos, ele se ausenta. Quando gostaríamos que ele não existisse, ele corre como se estivesse em uma maratona.

A diferença de quem produz mais ou menos está em como cada um aproveita as mesmas vinte e quatro horas que possui. Todos têm a mesma oportunidade de tempo.

Aliás, já dizia o sábio rei Salomão em Eclesiastes 9.11: "Tempo e oportunidade acontecem a todos" (*Almeida Corrigida Fiel*).

A boa notícia é que, enquanto há vida, há esperança. Você pode começar um projeto hoje, mesmo tendo falhado em tantos outros projetos no passado e mesmo que tenha subutilizado o seu tempo até agora. Mas, a partir deste momento em que o conhecimento o alcançou, as coisas podem começar a acontecer.

Depende de você. Afinal, qual é o seu nível de determinação e disciplina?

A gestão do seu tempo depende disso.

> *O que diferencia os pequenos dos grandes, os gênios dos comuns, os habilidosos dos sem resultados é como eles administram as vinte e quatro horas do dia.*

TORNE-SE O CEO* DE SUA VIDA

Ser o diretor do filme da sua própria história de vida é uma oportunidade para poucos. Como seria a reação do público se esse longa-metragem fosse passado nas telas sem edição e cortes?

Você se sentiria confortável ou envergonhado vendo a sua vida ser mostrada minuto a minuto para todos?

Nossa forma de lidar com o nosso tempo nos trará conforto ou vergonha quando as pessoas assistirem ao filme sobre a nossa vida.

Seja o dono do seu tempo.

Seja o roteirista desse longa-metragem que é a sua existência. Costumo ensinar nos nossos seminários que há duas coisas que diferenciam o rico e o pobre. A diferença nunca está no bolso, e sim na mentalidade.

A primeira diferença é o conhecimento.

Pegue um homem multimilionário, tire tudo o que ele tem, sequestre seus bens, dê uma surra nele e o pendure nu de cabeça para baixo em uma árvore no interior da cidade mais longínqua do país.

Daqui a um ano, ele estará rico novamente. Podem assaltar seu bolso, mas não sua mentalidade. É na mente que guardamos as verdadeiras riquezas. O mapa do sucesso.

Agora, pegue um pobre, dê 1 milhão de dólares para ele e o coloque para morar na melhor casa de toda a cidade.

Sabe como ele estará daqui a um ano?

Errou quem respondeu "pobre".

Ele estará miserável, pois, além de gastar tudo o que ganhou, ainda terá feito dívidas que não poderá pagar.

A segunda coisa que diferencia um e outro é como eles administram o tempo. Como eu disse na frase inicial deste capítulo, tempo só é dinheiro para quem tem dinheiro.

Há pessoas que ficam três, quatro, cinco horas vendo TV, mas não assistem a uma palestra de uma hora.

Quando participam de conferências, elas se cansam em minutos, mas ficam três ou quatro horas em uma festa de rua.

---

* Abreviatura em inglês para Chief Executive Officer.

*"O mistério da excelência está em
uma semente chamada tempo."*
(Mike Murdock)

Gaste o seu tempo naquilo que irá formatar o seu futuro. Não o perca em coisas sem sentido ou naquilo que não acrescentará virtudes à sua vida.

Invista o seu tempo no que você tem de mais precioso: o seu propósito de vida.

O PRINCÍPIO DE PARETO

Vilfredo Pareto, economista do século XX, constatou que 80% de toda a riqueza da Itália estava na mão de apenas 20% da população. Com isso, Pareto decidiu ampliar suas pesquisas para outros países e chegou à mesma conclusão.

Outro economista, Joseph Juran, sugeriu que essa relação descoberta por Pareto estava presente em diversos outros campos, não apenas na economia. Assim, constatou-se que:

- 80% das consequências decorrem de 20% das causas.
- 80% das vendas vêm de apenas 20% dos clientes.
  80% dos resultados vêm de 20% do tempo gasto em esforço.
- Ou seja, 20% do que você faz determina como serão os outros 80%.

Quais os 20% das causas responsáveis de 80% dos seus fracassos?

E se você investir 20% do seu tempo no que realmente importa?

Vinte por cento das nossas decisões determinaram 80% do que vivemos hoje!

Impressionante!

Se eu investir apenas 20% do meu ano (2,4 meses) para escrever um novo livro, os outros 80% serão colhendo os resultados.

Quem trabalha 20 e colhe 80?

Aqueles que sabem gerir o tempo!

A gestão do tempo trará a você benefícios incontáveis, como a identificação do que é urgente e do que é importante.

Antes, quando eu chegava ao meu escritório, o urgente logo começava a aparecer e gritar.

"Tiago, há uma pessoa esperando você na recepção." "Tiago, ligação da Ásia para você." Tiago, a revisão do seu carro é hoje." Tiago isso, Tiago aquilo.

Tudo o que era importante e já estava na agenda ia por água abaixo.

Quem não domina o fator "tempo" perde a nobreza dos resultados.

Hoje, submeto o urgente ao que é realmente importante.

A minha agenda é uma amiga, não a vilã.

A forma de você lidar com o seu tempo revela aos que o seguem e aos que andam com você que tipo de líder você é ou quer ser.

Uma vida atualizada foca em utilizar o tempo disponível para gerar frutos que permaneçam.

A geração Y, que nasceu em meio a toda esta tecnologia, enxerga o fator "tempo" de modo bem diferente das outras gerações.

Quem experimentou a conexão *dial-up* se espanta com a velocidade da banda larga. Quem nasceu na banda larga nunca entenderá a perda de tempo que era a *dial-up*.

Lembro-me de que, quando eu tinha 14 anos, o meu melhor amigo de infância se mudou com a família para a Itália.

Ficávamos meses sem nos falar, pois naquela época não tínhamos Internet.

Eu mandava carta em um mês e quarenta dias depois chegava uma resposta.

Celebrávamos cada comunicação concluída.

Hoje, mandamos uma mensagem de *WhatsApp* e em segundos temos uma resposta.

O tempo sempre dará a impressão de que corre mais do que nós.

"O VALOR DO TEMPO"

Imagine que você tenha uma conta corrente e a cada dia você acorde com o saldo de R$ 86.400.

Só que não é permitido transferir valores para o dia seguinte. Todas as noites, o seu saldo é zerado, mesmo que você não tenha conseguido gastar a quantia durante o dia.

O que você faz?

Você gasta tudo, é claro!

Gestão do tempo

Somos todos clientes desse banco. Chama-se tempo. E a cada manhã são creditados novos 86.400 segundos. Todas as noites o saldo é debitado como perda.

Não se pode acumular o saldo para o dia seguinte. Todas as manhãs, a sua conta é reiniciada e, à noite, as sobras do dia se evaporam.

Não há volta!

Você precisa gastar no presente o seu depósito diário.

Por isso, invista esse saldo no que for melhor para você: família, saúde emocional, vida espiritual, amizades e amor.

O relógio do tempo nunca para. Você precisa fazer o melhor hoje!

Para você perceber o valor de um ano, pergunte a um estudante que repetiu o ano letivo.

Para perceber o valor de um mês, pergunte a uma mãe que teve um bebê prematuro.

Para saber o valor de uma semana, pergunte a um editor de jornal.

Para perceber o valor de uma hora, pergunte a alguém apaixonado que está esperando para reencontrar a pessoa amada, depois de tempos sem a ver.

Para você perceber o valor de um segundo, pergunte ao sobrevivente de um acidente fatal.

Para saber o valor de um milésimo de segundo, pergunte ao esportista que conquistou a medalha de prata em uma olimpíada.

Valorize o seu tempo. Escolha bem com quem e com o que você irá gastá-lo.

(Autor desconhecido)

O hoje é uma dádiva, por isso se chama presente.

Utilize muito bem o seu tempo!

COMPORTAMENTO

Capítulo 7

"Não importa o tamanho do seu talento.
É o seu comportamento que define aonde você vai chegar."

TIAGO BRUNET

ATUALIZANDO...

50% atualizado

Nestes últimos anos treinando líderes, gerindo equipes e estudando sobre o comportamento humano, consegui identificar que o temperamento de cada indivíduo influencia uma organização, seja para o progresso, seja para a queda.

Pequenas decisões mudaram grandes instituições, e nem sempre para melhor.

Uma vida atualizada exige comportamentos adequados.

O temperamento de um indivíduo não determina quem ele é, e sim o seu padrão.

Padrão?

Sim, a mistura de temperamento, educação, cultura, religião, pessoas com que alguém convive, grau escolar, experiências de vida etc.

O padrão de uma pessoa é basicamente o comportamento repetitivo, automático e inconsciente que todos nós temos. Isso vale para as formas de falar, pensar e agir. Vale para o financeiro e para as emoções.

É o seu padrão (repetição de comportamento) que atrai ou repele as pessoas.

Já parou para analisar quem segue você? Que tipo de pessoa se aproxima de você? Quem chama você para jantar? E para propor negócios?

Você atrai o público-alvo do seu padrão!

Você é a média das pessoas com quem convive e dos livros que lê.

Com temperamentos reconhecidos, é infinitamente mais fácil lidar com as pessoas, pois o nosso comportamento é diretamente manipulado pelo nosso temperamento.

Uma pessoa com temperamento "dominante", por exemplo, falará mais alto do que uma que tem temperamento "paciente". As reações diante de uma afronta ou contrariedade também são antagônicas em relação aos temperamentos. Um "extrovertido" pode se divertir arranjando a situação. Já o "analítico" entrará em crise.

Quando eu ainda dirigia uma empresa de turismo no Rio de Janeiro, tinha como objetivo promover um funcionário a gerente. Ele era meu amigo pessoal havia mais de quinze anos. Era uma pessoa altamente confiável, que "vestia a camisa" da empresa, e não costumava rebater as minhas decisões.

Eu me sentia confortável com ele.

Assim, como diretor-executivo, eu queria tê-lo como gerente, de forma que poderia diminuir a minha carga laboral.

Eu o promovi, e logo começaram as decepções. Ele nunca entregava os resultados esperados. Eu aumentava salário, dava bônus, abria mão da rigidez com os horários, mas, ainda assim, nada o fazia ter mais liderança, ser um gerente melhor e dar mais frutos.

Então mudei a tática e comecei a ser rígido e direto. Cobrava muito, ameaçava reduzir seu salário, dizia que ia despedi-lo, mas nada adiantava. Ele continuava o mesmo.

Você deve estar pensando: e por que você não o mandou embora?

Não é fácil demitir um homem de confiança, honesto e trabalhador.

Eu precisava identificar onde eu estava errando.

Em 2011, participei de um treinamento em Miami, nos EUA, chamado SOAR, na Florida Christian University. Trata-se de um sistema de análise de temperamentos que ainda hoje é pouco difundido no Brasil e na América Latina.

É claro que há ferramentas muito parecidas disponíveis, como o DISC, os Temperamentos Transformados e outros. Mas foi no SOAR que encontrei a ferramenta que mudou a minha forma de me relacionar com todos.

Foi nesse curso que descobri o meu erro. Esse funcionário tinha o temperamento "paciente", e o cargo de gerente exigia um temperamento "dominante" ou, no mínimo, "extrovertido".

Eu tinha expectativa, por gostar dele e nele confiar, de que ele assumisse a gestão das equipes, controlasse os processos e coordenasse as funções.

Sabemos que a frustração nada mais é do que uma ou mais expectativas não alcançadas. Mas a culpa era minha, que criei expectativa com relação à pessoa certa no lugar errado.

Você entende?

Nesse mesmo treinamento, aprendi que o temperamento "paciente" ama escutar as pessoas e adora ambientes tranquilos.

Foi aí que tive a brilhante ideia de reposicionar o meu amigo e colocá-lo como chefe do atendimento. A nossa vida mudou. Clientes felizes, bem atendidos e resultados chegando todo dia. Ele amava ficar ao telefone, numa salinha sossegada, atendendo clientes importantes, dando atenção por telefone, tirando dúvidas com uma ultrapaciência que lhe era singular. A partir de então, os clientes só quiseram tratar com ele.

Depois disso, comecei a reavaliar todos os meus relacionamentos. Com a avaliação correta, eu poderia identificar o temperamento das pessoas e conduzi-las da melhor forma para obter relações saudáveis.

Percebi que o sócio que eu achava chato era, na verdade, de temperamento "analítico", e era isso que nos mantinha em pé. Pois, como "dominante", eu queria sonhar, avançar e conquistar, e o "chato", na verdade o "analítico" queria fazer contas, planejar e cortar custos. Ele não era o meu inimigo; era o casamento perfeito! Na época eu só não tinha inteligência e maturidade para reconhecer isso.

Mudei a forma de me relacionar e falar com a minha esposa, respeitando os limites do temperamento dela, ouvindo-a mais, sendo mais "paciente" para equilibrar a relação. E assim fui me treinando e me adaptando para a cada dia ser melhor como líder, marido, pai, amigo, filho etc.

Todos nós somos *Homo sapiens*. Nascemos com uma poderosa ferramenta chamada inteligência. Poucos, porém, pagam o preço para usar toda a sua capacidade intelectual.

Se o nosso sistema cognitivo não for alimentado constantemente, não saberemos diferenciar princípios de regras, sentimentos de emoções, e verdades de mentiras. Simples ações como tomar uma decisão ficam muito difíceis para quem não desenvolveu inteligência. Sem esse desenvolvimento, não identificamos os temperamentos e não adaptamos os relacionamentos.

Sem inteligência, não lidamos com as emoções que cada temperamento provoca.

A angústia, por exemplo, é amiga pessoal de 45% dos executivos e líderes globais. Porém, esse sentimento não tem uma causa lógica. Se o compararmos com a tristeza, por exemplo, veremos que esta é um sentimento por algo ou a decepção com alguém. Mas e a angústia? Não sabemos de onde vem. É aquele aperto no peito para o qual não sabemos apontar a razão.

Martin Heidegger, um filósofo alemão do século XX, dizia que a angústia é a sensação do nada.

Então, como identificar e diferenciar algo de alguma coisa? É preciso ter muito conhecimento e reflexão. Mas essas coisas estão em falta hoje em dia. Aliás, Platão, grande filósofo grego, alertou séculos atrás: "A vida sem reflexão não vale a pena ser vivida".

Pessoas que não refletem, simplesmente não têm dúvidas. São cheias de certezas.

Cuidado com elas!

Uma vida atualizada tem um comportamento adequado com a sua humanidade. Nesta geração, descobrimos que não existem super-heróis. Percebemos que seres humanos erram.

Erros não devem ser castigados, mas corrigidos. Negligência e descuido, sim, devem ser punidos.

Não confunda, novamente, uma coisa com a outra.

Livrar-se das confusões mentais e ser altamente esclarecido são exigências para um líder atualizado, para uma vida que está buscando a atualização.

Investir em treinamento para a melhoria e equilíbrio do comportamento dos funcionários, liderados ou colaboradores é prioritário, mas não exclusivo. É necessário dar atenção em outras áreas também.

A educação corporativa é um dos grandes diferenciais de uma instituição. Ter um sistema financeiro saudável, uma cultura empresarial vencedora e uma visão estratégica também são diferenças que todos notam.

Entretanto, repito: no final, é o seu comportamento que vai determinar até onde você chegará.

A consciência é o juiz supremo dos nossos comportamentos.

A nossa consciência julga tudo o que fazemos. Ela nos aprova ou nos condena.

A consciência não nasce pronta. Ela é moldada pela educação. Logo, quem não treinou a consciência não tem noção de seus atos. É por isso que muita gente se comporta mal nas múltiplas áreas da vida, como a emocional, financeira, profissional, familiar, espiritual. E nunca percebe quanto erra, pois a consciência não a acusa.

O nosso comportamento é influenciado pelo nosso nível de conhecimento. E o nosso conhecimento é adquirido por meio do tempo que dedicamos à arte de pensar, ao gosto pela leitura e ao aprendizado com as experiências desta vida.

> *"Pensar é um trabalho difícil. Talvez por isso, poucos se dediquem a isso."*
> (Henry Ford [1863-1947],
> norte-americano fundador da Ford)

Você já percebeu que há jogadores de futebol que alcançam o topo por causa do talento que têm, mas acabam descendo a ladeira do sucesso por causa de seu comportamento?

Pense no caso de Adriano, o Imperador. O atacante saiu do Flamengo em 2001, aos 19 anos, e começou a brilhar na Itália por causa de seus gols. Defendeu a Fiorentina, o Parma e a Inter de Milão. Fez tanto sucesso que recebeu o apelido de Imperador.

Adriano também brilhou e desconcertou adversários vestindo a camisa da seleção brasileira. Qual torcedor de futebol é capaz de esquecer a final da Copa América de 2004, no Peru?

A partida entre Argentina e Brasil já estava nos acréscimos do segundo tempo, com o placar marcando 2 x 1 a favor do time de Carlos Tevez, Mascherano e companhia, quando uma bola foi jogada para dentro da área. E ela foi na direção de Adriano. Havia naquele momento três jogadores argentinos próximo do Imperador. Ainda assim, ele disputou a bola no alto, conseguiu dominá-la, girou ajeitando a redonda e... chutou para o fundo das redes de Abbondanzieri. Empate: 2 x 2.

O golaço de Adriano deu a chance de o Brasil disputar o título nos pênaltis. E, nas cobranças, com mais um gol do camisa 7, a seleção canarinho conquistou a Copa América.

Entretanto, nem só de talento foi marcada a trajetória de Adriano. Em muitos momentos, a indisciplina, as festas sem regras ou hora para terminar e o gosto — ou melhor, a dependência — pela bebida alcoólica falaram mais alto.

A carreira dele começou a declinar, embora, graças ao grande talento, ele ainda tenha tido momentos de glória, como na conquista do Campeonato Brasileiro de 2009, jogando pelo Flamengo, quando foi artilheiro da competição.

Adriano passou a ter seu nome associado a polêmicas, a confusões, à dificuldade de manter o peso ideal. Chegou até a parar de jogar futebol. Curtindo o direito que tem de não querer ser mais um atleta, o atacante frustrou um país inteiro.

Dez em cada dez torcedores brasileiros concordam que Adriano, caso estivesse em forma na época, teria disputado as copas do mundo de 2010 e 2014. E poderia ter ido mais longe. Na Copa de 2018, na Rússia, Adriano terá 36 anos, a mesma idade do atacante Klose, da Alemanha, na Copa de 2014, no Brasil. Neste mundial, aos 36 anos, Klose marcou dois gols e se tornou o maior artilheiro da história das copas (e ainda foi tetracampeão do mundo).

Klose é um grande jogador, mas Adriano é o Imperador. Comparações à parte, o fato é que a carreira do atacante brasileiro poderia ter sido um sucesso do início ao fim, não fosse seu comportamento.

As nossas conquistas são facilmente esquecidas diante de um mau comportamento.

ATUALIZAÇÃO 7:
O seu comportamento definirá como o mundo se lembrará de você.

Sim, as pessoas lembram mais de comportamentos do que de palavras.

Em uma festa da nobreza espanhola, dom Diego, um dos ilustres presentes, foi o orador da noite. Ele falou sobre a importância da unidade da nação, da ajuda aos mais pobres, combateu os impostos exagerados e, por fim, levantou recursos para a nobre causa da noite. Vinte minutos após o discurso, o garçom que o servia deixou cair champanhe em seu terno italiano. O comportamento de dom Diego foi tão chocante que cancelou na mente dos convidados todo o seu lindo discurso. O garçom foi humilhado. Os gritos de dom Diego foram ouvidos nos quatro cantos do palácio.

Enfim, fale pouco e se comporte mais.

A mente humana é a mais complexa de todas as espécies. Ela cria pensamentos que determinam comportamentos.

Por exemplo, a maioria das pessoas engraçadas é extremamente insegura. O pensamento de que algo as ameaça gera um sentimento de insegurança, e o sentimento de insegurança leva ao comportamento engraçado como forma de defesa.

Não é curioso?

Esse tipo de pessoa precisa de mais atenção do que o normal por causa da necessidade de aprovação e aceitação. Por isso, tanta criatividade na hora das brincadeiras. Se você analisar o caso citado, verá que insegurança não tem nada que ver com timidez.

Apesar de insegura, a pessoa do exemplo não é tímida e se torna o centro das atenções quando brinca e conta piadas.

Freud, em pesquisa com seu colega, o cientista francês Charcot, definiu que algumas doenças físicas e comportamentos dominantes poderiam ser fruto de ideias e sugestões do subconsciente humano.

Ou seja, a sugestão segue sendo um poder influenciador de comportamentos.

Crianças que assistem a muitos desenhos violentos na TV tendem a criar ambientes hostis em casa e na escola. O poder da sugestão subconsciente é eficaz e acaba determinando como vamos nos comportar.

O nosso comportamento é influenciado por centenas de estímulos diários que variam em diversas formas. Comportamo-nos positivamente ao sermos expostos à cor azul. O mesmo não acontece com cores mais quentes. A forma de interpretarmos as perdas, as dores da vida e a morte influencia como nos comportamos em momentos de pressão.

Ou seja, comportar-se corretamente é uma "ciência" a ser estudada. Qual é o comportamento correto?

Não confunda o comportamento humano com princípios, que são imutáveis, ou com a moral e a ética, que são códigos milenares de conduta.

Comportamento sem treinamento é imprevisível. Homens de princípios traíram suas esposas. Pessoas com moral alta desviaram dinheiro da empresa na qual trabalhavam. Comportamento sem treinamento, eu insisto, é imprevisível. O mau comportamento é a materialização de um desvio de conduta, da quebra dos códigos de ética. É o descontrole interno exposto para que todos vejam.

O seu comportamento sempre deverá ser compatível com a sua ICP — ideia central permanente. Se você não definiu o seu propósito na terra, dificilmente definirá o seu comportamento mais adequado.

Quando a sua ICP é clara, não há dúvidas de como você deve se comportar, independentemente da situação.

Por isso, pensar é uma arte que devemos prezar, pois a construção dos pensamentos é influenciada pelo nosso propósito. A soma desses fatores expõe quem somos.

Na minha opinião, a filosofia deveria ser matéria obrigatória nas escolas de ensino fundamental. Hoje, não temos mais pensadores como antes.

Seria ótimo se o currículo escolar também contemplasse matérias como inteligência emocional, inteligência financeira, inteligência bíblica e política. Estudar os princípios de cada uma delas ajudaria a desenvolver o ser humano, seu raciocínio e sua autocrítica. Defendo isso, pois estou certo de que essa é uma das portas de entrada para a melhoria do comportamento humano.

Afinal, o que há de ser uma pessoa que não ama e não se apega à sabedoria?

Sem as inteligências supracitadas, como resgataremos as gerações futuras do caos previsto?

Em 2014, ministrando uma palestra a mais de 200 políticos na Câmara dos Vereadores do Rio de Janeiro, enfatizei a importância de aplicarmos as "múltiplas inteligências".

Imagine se os nossos filhos crescessem aprendendo a lidar com as emoções, a gerir sentimentos, a usar prudência nas decisões e escolhas?

Reflita: como seria nossa descendência se eles aprendessem a ser inteligentes com as finanças, se aprendessem a melhor forma de contornar as tantas dificuldades pelas quais já passamos?

E sobre a política? Até quando seremos idiotas? (No latim, a palavra "idiota" significa "aquele que olha para o próprio umbigo"). E quando, finalmente, assumiremos o nosso papel com a *polis* (população)?

Quando expus a importância da inteligência bíblica nas escolas, um deputado (embora a reunião tenha sido na Câmara Municipal, havia também senadores e deputados) saltou de sua cadeira gritando: — *Jamais*! O nosso partido nunca permitirá que a religião volte a ser ensinada nas escolas públicas.

Quando ele terminou tudo o que tinha para falar, retomei a palavra e prossegui: — Vossa excelência talvez não tenha acesso a tal informação, mas Bíblia não é religião. As religiões se apoderaram dela. A Bíblia é o equilíbrio dos últimos quatro mil anos. Retire-a da sociedade e confira de perto o caos se instalar. Se sua esposa é fiel a você, só há um lugar na terra que aconselha isso: a Bíblia. Se não matamos nem roubamos o próximo, só há um livro que direciona dessa forma: a Bíblia. Tudo o que equilibra o mundo está escrito lá.

Enfim, creio firmemente que é a nossa obrigação como educadores mostrar às gerações vindouras o que deu certo no passado. Já dizia Salomão: "Não há nada novo debaixo do sol" (Eclesiastes 1.9). Tudo o que acontece hoje é repetição do que foi um dia.

Para prever o futuro, basta estudar o passado.

APRENDENDO SOBRE OS TEMPERAMENTOS

Os seres humanos podem ter um ou mais de quatro tipos de comportamentos definidos segundo o método SOAR:

DOMINANTE — EXTROVERTIDO — PACIENTE — ANALÍTICO

Não existe um temperamento ruim, e sim temperamento não polido, não treinado.

O objetivo é descobrir o seu e aperfeiçoá-lo até chegar ao equilíbrio.

Você pode aplicar a análise SOAR comportamental em:
- Desenvolvimento e crescimento pessoal
- Diversidade e inclusão
- Trabalho em equipe
- Melhora na comunicação e nos relacionamentos
- Integração com empregados
- Processo de seleção de candidatos para empregos
- Resolução de conflitos
- *Coaching*
- Liderança
- Produtividade e desempenho
- Vendas

Entre os contextos e áreas de aplicação, citamos:
- Indivíduos
- Grupos
- Educadores
- Treinamento corporativo
- *Coaching* pessoal
- *Coaching* profissional
- Vida familiar
- Desenvolvimento ministerial e de igrejas
- Vida matrimonial
- Potencialização de jovens
- Desenvolvimento de liderança
- Análise de cargos laborais
- Processo de inovação e criatividade
- Processo de seleção de empregados (na minha opinião, hoje isso é obrigatório para o pessoal de RH)

- Governança corporativa
- Saúde e desenvolvimento financeiro

Até os investimentos financeiros devem ser escolhidos com base nos temperamentos. Por exemplo, o "dominante" adora riscos, enquanto o "analítico" prefere o que é mais seguro.

Apesar de cada pessoa ter um estilo predominante, é possível termos uma combinação de todos os quatro estilos. Essa combinação é chamada de "padrão" para uma pessoa. E isso é uma das coisas que torna único cada ser.

Nenhum estilo é melhor do que o outro. Cada estilo possui forças, potenciais e fraquezas. Quanto mais você compreender os pontos fortes de uma pessoa, mais poderá maximizar seu potencial.

Há grandes diferenças individuais entre cada estilo.

As pessoas são muito mais do que o seu estilo temperamental. Seus valores, crenças e experiências têm grande influência sobre como elas se comportam. Assim, reforço que o temperamento é apenas uma das influências.

A COMUNICAÇÃO E A PERSONALIDADE

Para comunicar de forma efetiva, precisamos estar conscientes de como as pessoas interagem entre si. Nem todos interpretam a *mesma* palavra da *mesma* forma. Todo ser humano tem um filtro mental que traduz o que o interlocutor está dizendo conforme seu padrão de entendimento.

O significado de cada palavra está baseado na percepção que cada pessoa possui. Da mesma maneira que assumimos que a nossa mensagem foi claramente entendida, também assumimos que, se algo for importante para nós, também será importante para a outra pessoa ou que todo mundo vê o problema da mesma forma.

Quando entendemos as diferentes percepções — filtros —, vemos como duas pessoas podem ter uma conversa e criar opiniões totalmente diferentes a respeito do que foi dito (contei uma história sobre isso no capítulo "A arte da comunicação").

Uma vida atualizada se esforça para compreender o paradigma de cada membro da equipe e aplica a teoria "MINIMAX": minimizar os pontos fracos e maximizar os pontos fortes de cada pessoa.

Vamos aprender as características de cada temperamento e como podemos "acessar" as pessoas temperamentais. A definição de cada item a seguir foi retirada de uma aula que tivemos no mestrado em *Coaching*, na Florida Christian University, em Orlando, nos EUA, com Anthony Portiglatti, ph.D. e reitor da universidade.

CARACTERÍSTICAS DE CADA TEMPERAMENTO

Identifique o seu!

TEMPERAMENTO DOMINANTE
- Fica entediado facilmente.
- É direcionado para resultados.
- Gosta de desafios e mudanças.
- Possui alta expectativa em relação aos outros e a si próprio.
- Detesta indecisões.
- Pode ser enfático e exigente.
- Possui autoconfiança elevada.
- Gosta de arriscar.
- Aprecia respostas diretas.
- Sua avaliação é baseada nas realizações.
- É rápido e impaciente.
- Gosta de ser reconhecido pelos resultados.

Como "acessar" um temperamento dominante:
- Ofereça elogios — eles em geral são bons no que fazem e gostam de ser reconhecidos por isso.
- Dê um prêmio ou placa com o nome dele.
- Indique aos superiores suas realizações.
- Ofereça treinamento para trabalhos melhores.

- Atribua papéis na liderança: dificilmente um "dominante" ficará conformado em funções que não sejam de liderança.
- Delegue mais autoridade e poder, mas tome cuidado com isso.
- Faça promoções baseadas em méritos.
- Ofereça promoções para posições elevadas.
- Permita que ele se reporte a uma pessoa de *status*: eles não gostam de tratar com posições inferiores ou seus pares.

TEMPERAMENTO EXTROVERTIDO
- É direcionado para pessoas.
- Prefere liberdade a detalhes e controles.
- Usa bem a intuição.
- É simpático.
- É persuasivo e carismático.
- É confiável.
- Usa bem a linguagem verbal.
- É amigo.
- Age por impulso e emoção.
- É autoconfiante e se autopromove.
- É entusiasta.
- Encoraja as tomadas de decisões da equipe.

Como "acessar" um temperamento extrovertido:
- Implemente suas ideias criativas.
- Permita que ele crie.
- Permita que ele escolha tarefas pelas quais se interessa (não pressione, deixe-o decidir).
- Dê camisetas com a "logomarca do time".
- Permita que o final de semana tenha três dias.
- Permita que ele diminua a quantidade de papelada.
- Dê a ele férias ou excursões para lugares interessantes.
- Permita que o horário de trabalho seja flexível.

- Permita que ele use acessórios confortáveis e originais.
- Presenteie-o com bugigangas.
- Dê a ele algo divertido para decorar a mesa.
- Dê a ele ingressos para um *show* de comédia, um concerto ou um musical.

TEMPERAMENTO ANALÍTICO
- É organizado e voltado para o processo.
- Tende a ser perfeccionista.
- É sistemático nos relacionamentos.
- Valoriza a verdade e a precisão.
- Suas decisões são baseadas na lógica.
- Quer conhecer todos os detalhes e fatos.
- Tem tendência a se preocupar.
- Exige um alto padrão de si mesmo e dos outros.
- Não expressa sua opinião, a menos que tenha certeza.
- É muito consciente e busca a qualidade.
- É racional e traça planos para resolver os problemas.

Como "acessar" um temperamento analítico:
- Elogie-o na presença de pessoas que ele admira.
- Dê prêmio, livros importantes e históricos.
- Diga a ele palavras que possam elevar sua reputação.
- Deixe claro que você o aprova pela competência que ele tem.
- Proporcione a ele um local de trabalho silencioso e isolado.
- Ofereça a ele programas de computador que aumentem a eficiência do trabalho.
- Dê a ele ingressos para óperas e eventos distintos, rebuscados, eruditos.

TEMPERAMENTO PACIENTE
- Gosta de eficiência e planejamento.

- Tende a estabelecer relacionamentos profundos.
- Não gosta de mudanças em cima da hora.
- Não gosta de conflitos, é um pacificador nato.
- É um bom ouvinte.
- Gosta de se identificar com a empresa.
- Deseja paz e harmonia.
- Prefere um ambiente estável.
- Busca a lealdade.
- Gosta de atmosfera calma e relaxada.
- Importa-se com a equipe.
- É metódico.

Como "acessar" um temperamento paciente:
- Ajude-o a completar sua tarefa.
- Dê uma vaga no time: ele não vai conquistar nada sozinho.
- Faça elogios pessoais.
- Compreenda o que ele está falando.
- Ofereça mais tempo de folga.
- Leve a sério as perguntas que ele faz.
- Tenha com ele atitudes pacientes e amigáveis.
- Promova encontros sociais com ele.
- Dê presentes pessoais que demonstram que você se importa com ele.
- Dê fotografias que trazem boas memórias.
- Escreva cartas de agradecimento.

Nosso comportamento só poderá ser aperfeiçoado se tivermos o conhecimento necessário e as ferramentas corretas para isso. Dedique-se diariamente ao cuidado com os temperamentos. Identifique, treine e aperfeiçoe. Identifique, treine e aperfeiçoe. Identifique, treine e aperfeiçoe. Identifique, treine e aperfeiçoe. Identifique, treine e aperfeiçoe. Identifique, treine e aperfeiçoe. Identifique, treine e aperfeiçoe. Identifique, treine e aperfeiçoe. Identifique, treine e aperfeiçoe.

Essa é a rota mais curta e menos dolorosa para o sucesso nos relacionamentos, na vida profissional e na liderança.

Hoje encerramos o sétimo passo rumo a uma completa atualização!

Bem-vindos a este novo tempo.

Perguntas de atualização:

Você identificou o seu temperamento?

E o temperamento do seu cônjuge ou do seu familiar de maior convívio?

Você traçará uma estratégia para melhorar a sua comunicação e abordagem com as pessoas que o rodeiam? Você entendeu seus temperamentos?

Comportamento

Você percebeu o que precisa equilibrar no seu temperamento para viver melhor consigo mesmo e com as pessoas?

Ficou claro para você que o mundo se lembrará de sua existência de acordo com o seu comportamento?

FERRAMENTAS PARA UMA VIDA ATUALIZADA

Capítulo 8

"Se a única ferramenta que você tem é um martelo,
tudo começa a parecer com um prego."

ABRAHAM MASLOW

ATUALIZANDO...

59% atualizado

Ferramentas para uma vida atualizada

Romanticamente falando, o líder é o guia das mudanças. O problema é que, nos dias atuais, as mudanças estão mais rápidas que os líderes.

A oitava atualização deste livro são ferramentas certas para o serviço correto. Muita gente desatualizada tenta usar ferramentas que deram certo no passado em um mundo avassaladoramente mudado.

Você consegue quebrar uma parede de sua sala em 3 dias? Sim! Mas com uma pá de pedreiro você vai conseguir? Provavelmente não! Não existe missão difícil, e sim ferramentas erradas para executá-la.

Antes, para uma pessoa liderar, ela precisa agir de modo parecido com o de um político. Hoje, esse modo deve ser mais parecido com o de um psicólogo. Antes, investia-se muito em sistemas e processos. Hoje, mais vale investir em pessoas do que em coisas.

A liderança atualizada é social, não individualista como outrora. O único elo entre o estilo de liderança do passado e o atualizado é o fato de que *conhecimento é poder*.

Isso continua sendo atual e verdadeiro!

Liderança é essência. Quem cumprimenta o executivo de alto escalão e não se dirige ao faxineiro não tem a essência da liderança. Um líder verdadeiro e atualizado não pode evitar ser líder de todos e para todos!

Veja um caso famoso do presidente Barack Obama: um vídeo dele embarcando em um helicóptero do governo foi postado na Internet e se tornou viral. O vídeo foi compartilhado milhares de vezes nas redes sociais como um exemplo de bom ser humano a ser seguido. E a imensa repercussão se deu porque, após entrar na aeronave, ele voltou para cumprimentar um soldado que estava à porta. Somente depois de subir as escadas da aeronave, ele reparou que não tinha cumprimentado o soldado, que ficara do lado de fora prestando continência. Pois bem, Obama desceu as escadas, apertou a mão do soldado e voltou para o helicóptero.

O vídeo ficou famoso em todo o mundo graças a um ato simples e generoso.

CASOS

O estudo de casos e a leitura de biografias nos ajudam na atualização da liderança, mas não definem o que seremos. Aumentar o nosso repertório de exemplos e casos não muda o fato de que o conhecimento empírico é o indicador de quanto vamos crescer, pois um caso dificilmente se repete. Assim, nem tudo o que você tiver lido e aprendido será aplicável um dia.

Por isso, atualize-se criando estratégias e ferramentas. Não somente para você, mas também para as pessoas que você guiará na jornada da vida.

Na Antiguidade, as guerras eram o centro de uma sociedade. Tudo se resolvia em batalhas. Algumas funções eram fundamentais para a vitória. Entre elas, a do estrategista. O homem que era sensível à arte da interpretação.

Estratego era o homem responsável por intuir de onde viria o inimigo em uma batalha. Tratava-se de uma função militar.

Estamos construindo uma linha de pensamento muito séria aqui. Para você conquistar essa "caixa de ferramentas" e tê-la em mãos, precisará ter algumas habilidades humanas afiadas:

1. Ser mais rápido do que as mudanças globais.
2. Ser mais social e menos individual.
3. Investir mais em pessoas do que em coisas.
4. Ser menos político e mais psicólogo.
5. Desvendar a essência de liderança.

Se estes cinco pontos já estão bem definidos em você, o próximo passo é a...

ATUALIZAÇÃO 8:
Ferramentas certas poupam tempo e dinheiro, além de sempre darem os melhores resultados.

RODA DA VIDA

Esta ferramenta é usada para que o líder faça um *check-up* em seu liderado. Costumo dividir a Roda da Vida nas oito principais áreas da vida do ser humano.

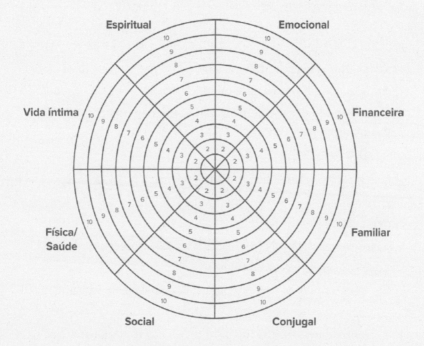

De 1 a 10, seu liderado deve pintar a nota que ele se dá em cada área da vida.

Repare que, quando falamos de vida financeira, por exemplo, não nos referimos a quanto você ganha, mas a como você administra o que ganha:
- Você se sente feliz com a forma de lidar com o seu dinheiro?
- Está conformado com a forma de gastar ou investir os seus recursos?

Essa deve ser a linha de pensamento para todas as áreas.

Na vida emocional, as perguntas para avaliação devem ser:
- Consigo me colocar no lugar dos outros?

- Sou aberto a perdoar?
- Tenho facilidade em ver o melhor das coisas, não somente o lado negativo?
- Tenho um sono reparador?
- Consigo governar as minhas preocupações?
- A minha razão fala mais alto do que a minha emoção?

Na vida social, avalie se:
- Você tem a quem chamar para ir ao cinema no final de semana?
- Amigos jantam na sua casa ou vice-versa?
- Quando você está em apuros, tem para quem ligar?
- É convidado frequentemente para festas de aniversário e encontros sociais?
- Participa de algum clube, instituição, igreja ou organização social?

Na vida física, pergunte-se:
- Como você administra as suas atividades esportivas?
- Você se alimenta corretamente?
- Você costuma ir ao médico para *check-up* e exames periódicos?

Essa linha de perguntas vale para todas as áreas da roda. Faça agora mesmo um autoquestionamento em todas as áreas apresentadas na roda.

Observe que uma roda não gira quando está desnivelada. Quando você acabar esse exercício, perceberá que algumas áreas de sua vida, provavelmente, estão desalinhadas, e esse desnível traz consequências na sua caminhada. A expressão "aos trancos e barrancos" descreveria bem o tipo de vida de quem está vivendo com esses altos e baixos.

PERDAS E GANHOS

Essa é uma ferramenta fundamental para ajudar você, a sua família e a sua equipe na tomada de decisões.

Ferramentas para uma vida atualizada

No meu primeiro livro, *Rumo ao lugar desejado*,[1] conto a história de um grande empresário do ramo imobiliário que me procurou para ajudá-lo a encontrar uma forma menos traumática de se separar da esposa.

Eles tinham dois filhos e dez anos de casamento.

Bastou uma sessão de *coaching*, com o uso dessa ferramenta, para o destino de uma família ser alterado. Primeiro, solicitei que ele escrevesse em um papel em branco por que queria se separar.

Aquele homem de negócios ficou cerca de vinte minutos olhando para a folha sem escrever nada, pois quando escrevemos materializamos pensamentos. E se os pensamentos, além de abstratos que são, forem irreais, ou seja, fora da realidade, dificilmente conseguiremos materializá-los em uma folha.

Na demora em escrever, ele revelou o grau de sua confusão mental. Foi então que pedi para que ele fechasse os olhos e mentalizasse como estaria sua vida seis meses após o divórcio.

O cérebro dele automaticamente foi levado às probabilidades.

Então perguntei:

— Onde estão os seus filhos?

E ele, quase emocionado, respondeu:

— Na casa da minha sogra.

Continuei com as perguntas:

— E como vai o seu trabalho?

— Eu não tenho ido trabalhar — contou.

— E sua esposa?

Agora, já com as lágrimas correndo pelo rosto, ele se exaltou, gritando:

— Não estou preparado para vê-la com outra pessoa. Não!

Neste momento, toquei no ombro dele e pedi que abrisse os olhos lentamente. Gentilmente, peguei a caneta que estava sobre a mesa e disse:

— Escreva agora no mesmo papel os motivos pelos quais você nunca se separaria.

---

[1] Rio de Janeiro: Momentum, 2014.

E aquele homem escreveu 18 razões. Antes, ele havia listado apenas dois motivos pelos quais queria se divorciar. Duas razões negativas que, com muito esforço, ele conseguiu "materializar".

Assim, ele por si próprio, apenas com a ajuda do *coach* e com a ferramenta correta, transformou o futuro de seu lar e deu sentido à sua existência.

Repare que qualquer outra ferramenta poderia ter atrapalhado o caso em questão. A pá de pedreiro é a ferramenta certa para ajudar na construção de uma parede, não para destruí-la.

Certifique-se de que você tem usado as ferramentas certas para cada situação da sua vida.

Uma vida atualizada sabe bem o valor de ter uma "caixa de ferramentas". Quem sabe usá-la é amigo da sabedoria.

QUINZE PALAVRAS EM UM MINUTO E MEIO

Geralmente, uso esta ferramenta em minhas primeiras sessões de *coaching* com um novo cliente. O cérebro dele dá respostas automáticas (*feedbacks*) quando feitas em menos de cinco segundos. É provável que uma pessoa que leve mais de cinco segundos para responder a uma pergunta esteja manipulando a resposta.

Manipular não é necessariamente mentir.

Às vezes, queremos abrilhantar ou disfarçar a verdadeira resposta.

O nosso cérebro tem armadilhas. A melhor forma de lidar com elas é identificar cada uma e reconhecer como elas funcionam, pois somente assim poderemos treinar a nossa mente para o êxito.

Essa ferramenta funciona da seguinte forma: peça ao seu liderado/*coachee*/familiar para escrever em um minuto e meio as 15 primeiras palavras que vierem à sua mente. Assim, ele terá cerca de seis segundos por palavra, assim *feedbacks* automáticos do cérebro, e teremos o que chamamos de respostas cerebrais.

Essas palavras de alguma forma, consciente ou inconscientemente, estão em destaque no córtex do interlocutor. E, com o resultado desse simples exercício, podemos passar uma sessão inteira trabalhando palavra por palavra.

Essa é uma boa ferramenta para identificar crenças limitantes. As crenças que nos limitam são aquelas frases que surgem de uma voz interior que diz: "Não dá!", "Não posso", "É impossível", "Isso não é para mim", "Eu não mereço" etc.

Vemos isso dezenas de vezes na inteligência bíblica. E, para exemplificar, cito aqui a história de Moisés, quando Deus ordena-lhe que vá até o faraó, no Egito, e interceda pelo povo hebreu que era escravizado. Moisés responde ao Criador, revelando uma crença limitante: "Não consigo, sou gago. Isso é impossível, nunca vão acreditar em mim".

Na própria Bíblia, encontramos centenas dessas "desculpas", que, na verdade, são crenças limitantes.

Jeremias, o profeta, disse a Deus: "Não posso; não passo de uma criança". Gideão declarou: "Não consigo; sou o menor da casa do meu pai.

A boa notícia é que todos eles conseguiram executar sua missão.

Só podemos mudar aquilo que identificamos. Por isso, identifique as suas crenças, ou as do seu liderado, e depois disso *elimine-as*!

Usando essa ferramenta, podemos *identificar* para então começarmos o trabalho de eliminar o que não serve para nós.

Em um curso que chamo de "*Coaching* e Inteligência", apliquei essa ferramenta com um seminarista. Foi no início de 2016, numa cidade da região sul do Brasil.

Fiz uma sessão pública de *coaching* em plena sala de aula com o objetivo de educar e ensinar os alunos nessa abordagem.

Carlos (nome fictício) foi voluntário para o exercício. Perguntei o que ele fazia. Ele disse que cursava teologia, pois gostaria de ser um pastor.

Depois de mais algumas perguntas, apliquei o "Quinze palavras em um minuto e meio".

Suas palavras "automáticas" foram:

1. Dinheiro

2. Multidão
3. Casa de praia
4. Caribe
5. Mustang
6. Pai
7. Recursos
8. Estrada
9. Terno
10. Banco
11. Negócios
12. Avião
13. Dubai
14. Barco
15. Livros

Quando peguei as respostas, imediatamente o confrontei:

— Carlos, por que a palavra "dinheiro"?

Ele respondeu que aquela palavra lhe trazia segurança.

— Por que "multidão"?

— Acredito que tenho talento para reunir pessoas — explicou ele.

— E "casa de praia" e "Caribe"? (Repare que essas palavras têm conexão.)

Carlos respondeu:

— Porque é um sonho descansar na minha própria casa em alguma praia do Caribe.

Enfatizei as outras perguntas:

— Porque as palavras "banco", "negócios", "Mustang", "Dubai", "recursos" e "terno"?

Ele não soube responder. Carlos disse que simplesmente era o que tinha vindo à sua cabeça.

Perguntei como ele se via daqui a cinco anos.

Carlos sorriu e contou: — Estarei bem de vida, serei pai e vou ser relevante na vida das pessoas.

Então o questionei:

— Você precisa ser um líder eclesiástico para isso?
Ele não soube responder.
Insisti:
— Entre ser um pastor de 50 ovelhas e sem recursos e um empresário bem-sucedido, o que você escolheria agora, sem demagogia?
Ele, entristecido, respondeu:
— Um empresário.
Quando sua fisionomia mudou por causa da resposta, perguntei quem no mundo gostaria que ele fosse um estudante de teologia e, depois, um pastor.
Ele respondeu:
— O meu pai. O meu pai não conseguiu ser pastor na igreja onde congregava, pois não tinha os estudos requeridos. Quero fazê-lo feliz e mostrar que posso cumprir seu desejo.
Caro leitor, os sonhos escondidos de Carlos, revelados através das 15 palavras, mostraram a necessidade de ser bem-sucedido e de ter coisas boas.
Ajudei-o a entender por meio de mais perguntas e ferramentas que, caso ele seguisse seu projeto ministerial, usaria o "título" para realizar seus sonhos pessoais, não para servir ao povo. Ele agradaria mais a seu pai natural do que a Deus.
Hoje, quatro meses depois daquele curso, enquanto escrevo este livro, Carlos já iniciou sua empresa. Não abandonou a faculdade de teologia, pois planeja usar a teologia como instrumento no futuro e honrar seu pai com esse título.
Seu novo negócio?
Uma livraria.

MENTALIZE VOCÊ DAQUI A CINCO ANOS

Essa é uma poderosa ferramenta, pois é um indicador de futuro.
Quando eu precisava decidir sobre mudar de cidade com a minha família, procurei o meu *coach*. Lembro-me bem de que não demoramos nem quinze minutos naquela sessão.

Contei para ele que estava pensando em me mudar de cidade, pois muitas oportunidades estavam se abrindo em outro lugar. Ele apenas me perguntou:

— Como você se vê daqui a cinco anos?

Fiquei uns três minutos explicando a minha visão de futuro e, quando terminei, ele fez outra pergunta:

— E essa mudança de cidade vai aproximar ou afastar você da sua visão de futuro?

Uau! Pronto, eu já não tinha mais dúvidas.

Decidi em poucos minutos o que pessoas levam meses ou até anos para decidir. Essa é uma ferramenta que vale a pena aplicar.

Agora, por que procurei um *coach*, não meus mentores?

O *coach* não dá opinião e não se envolve emocionalmente com o *coachee* (cliente de *coaching*). Ele foca em resultados no futuro.

Se eu perguntasse aos meus mentores sobre mudar de cidade, saberia previamente qual seria o teor de 80% das respostas.

O meu pai, que é o meu primeiro mentor, não suportaria ficar longe dos netos e certamente diria que não era uma boa ideia me mudar.

O meu mentor espiritual não iria querer que eu saísse da igreja.

O meu mentor financeiro era meu vizinho de bairro no Rio de Janeiro.

Ou seja, todos eles estariam envolvidos emocionalmente, e esse não era um caso para eu ouvir conselhos emocionais, e sim para eu decidir com assertividade.

CINCO PERGUNTAS REFLEXIVAS

Quando ministro os meus cursos de *coaching* e inteligência, costumo ensinar sobre o poder das perguntas. Cinco delas, em especial, uso não apenas nos treinamentos e seminários, mas também quando atendo os meus *coachees*.

1. Quem é você?
2. Aonde você quer chegar?
3. Do que você precisa para isso?

4. Qual será o seu legado?

5. Quem vai chorar quando você morrer?

Porém, as pessoas devem responder a cada pergunta usando apenas uma palavra. Isso mesmo... Uma palavra somente!

Se você não consegue se explicar em uma palavra, você ainda não definiu quem você é.

Responda, agora mesmo, às perguntas que fiz anteriormente.

1.
2.
3.
4.
5.

Existem perguntas estratégicas que podem ser feitas em meio à sessão para confrontar o liderado mais à frente. Veja três exemplos a seguir.

Exemplo 1 — "Se você pudesse jantar por três horas com qualquer pessoa do mundo, quem seria essa pessoa?"

Aqui o respondente revela seu nível de ambição (não de ganância, não confunda).

Alguns respondem:

— Eu jantaria com a minha esposa.

Mas com a esposa você pode jantar todo dia! Que falta de ambição!

O conhecimento é revelado quando estamos expostos a pessoas que já caminharam mais do que nós. Quem me dera poder escolher algumas pessoas que já passaram pelo que ainda vou passar e levá-las para jantar... Eu tenho uma lista enorme!

Exemplo 2 — Se dinheiro não fosse problema, qual lugar você escolheria para passar 15 dias de férias, e quem você levaria junto?

Nessa pergunta, revelamos quem realmente deveria estar conosco nos momentos relevantes.

Exemplo 3 — *Quais são os seus sonhos e que obstáculos você prevê no caminho dessas realizações?*

As perguntas são ferramentas poderosas!

As respostas são a matéria-prima que você vai trabalhar para moldar o futuro.

Faça uma "pirâmide" da sua vida.

Finalizo este capítulo encorajando você a estudar. As ferramentas se expandem à medida que o conhecimento cresce.

Leia muito.
Faça cursos.
Assista a palestras.
Participe de seminários específicos.
Conviva com quem sabe mais que você.
Seja educado (não necessariamente um acadêmico, mas seja estudado).

"Eu queria encontrar um sábio, mas me satisfaço se encontrar um educado. O educado é uma pessoa ideal; já o sábio é um cidadão incomum."
(Confúcio 479 a.C.)

EXCELÊNCIA EMOCIONAL

Capítulo 9

"Um futuro de grandeza é inevitável
para quem reedita o passado e planta
as sementes da inteligência no presente."

TIAGO BRUNET

ATUALIZANDO...

67% atualizado

Acredito que a esta altura da leitura você já se tenha convencido de que o mundo mudou.

O melhor datilógrafo do mundo, que investiu muito em sua formação, hoje em dia não trabalha mais com isso. Datilografar não é mais uma habilidade requerida no mundo atual. Quem não se atualiza perde tudo!

Muitos foram criados pelos pais recebendo palmadas como forma de incentivar a disciplina, mas atualmente isso é crime em muitos países ocidentais. Quero dizer que nem tudo o que vivemos no antes serve de modelo para o depois.

Enviávamos cartas seladas que duravam semanas ou meses para chegar ao destino. Hoje apertamos uma tecla, e a mensagem chega em fração de segundo.

Antes, o chefe era ditador. Hoje, precisa ser um líder servidor.

Antes, as missas da Igreja Católica eram feitas em latim. Hoje, é impossível privar o povo do conhecimento.

Tudo tem um antes e um depois, e nesse intervalo acontecem profundas mudanças. Quem não se atualiza fica para trás.

Aperte o F5, o botão *Refresh*.

UNIVERSO EMOCIONAL

A atualização do universo emocional é o tema de hoje. Se você está levando a sério o programa de 12 dias para atualizar a sua vida, este é o seu nono dia. A nona etapa de atualização.

Todos dependemos de saúde emocional para atualizar a nossa vida. Sem excelência nas emoções, somos simplesmente escravos do passado.

Milhares de pessoas estão aprisionadas em campos de trabalhos forçados, ou na exploração sexual pelo mundo. Mas milhões, sim, milhões de pessoas estão acorrentadas pela angústia, escravizadas pela dúvida, por medo, remorso, críticas, calúnias e difamações.

As feridas que a vida nos apresenta durante a caminhada na terra, em geral, ficam abertas. É necessário ter conhecimento específico e instrução objetiva para fechá-las a ponto de transformá-las em cicatrizes, em meras lembranças do que passamos e superamos, sem ressentimentos.

Se há uma classe na terra que precisa estar sempre calibrada emocionalmente é a classe dos líderes. Eles precisam morar no futuro. Permanecer presos ao que já passou não é uma opção.

O poder, por meio da liderança, expõe com intensidade os "buracos da alma", por isso só deveria ter poder quem tem inteligência para lidar com as próprias emoções e empatia para se relacionar com os outros. Quanto mais visibilidade, mais vulnerabilidade.

As consequências da falta de excelência emocional são imensuráveis, pois um líder ferido pode ferir toda uma geração. Haja vista Adolf Hitler (1889-1945), o ditador alemão nazista. Todos sabem que ele perseguiu e matou cerca de 6 milhões de judeus durante a Segunda Guerra Mundial. O que muitos desconhecem é que Hitler se apaixonou em sua adolescência por uma jovem judia e foi rejeitado por ela.

A própria história corrobora a psicologia: atrás de alguém que fere, há um ferido. Atrás de um abusador, existe um abusado. Quem oprime os que estão por baixo hoje foi antes oprimido.

Dê poder a uma pessoa ferida, e você terá um ditador, um matador de sonhos e um destruidor de destinos.

Ser inteligente nas emoções é um dos maiores desafios do século XXI. O seu QI (quociente de inteligência) já não é tão valorizado no mercado de trabalho e no mundo corporativo quanto o seu QE (quociente emocional).

A falta de habilidade nos relacionamentos, a diminuição de argumentos inteligentes e o fim da empatia são características intoleráveis nos dias atuais. E por quê?

Porque vivemos a era da indústria do prazer. Sentir-se bem é o principal. Ser feliz é o alvo, não importa a qual custo.

Uma empresa atualizada está trocando currículos excepcionais por pessoas excepcionais. A sua expressão emocional pode derrotar ou alavancar as suas conquistas acadêmicas. Este é o mundo de hoje.

FLEXIBILIDADE

Somente a excelência emocional proporciona flexibilidade.

O ser humano atual deseja conforto, e isso inclui as emoções. Por isso, tanto entretenimento e pouquíssimo entendimento nesta década. O entreter distrai e provoca prazer. O entendimento amplia o saber e provoca desconforto.

Pessoas comuns precisam lidar com as emoções; líderes precisam dominá-las!

Para isso, recorro novamente à palavra "flexibilidade". Se não formos flexíveis, não há chance de atualização.

Somos seres emocionais e, se não recebermos treinamento de excelência, as emoções nos conduzirão a viver de forma primitiva, à base de reações e instintos.

As emoções podem ser passageiras, mas, se não soubermos lidar com elas, podemos eternizá-las.

Veja o ódio, por exemplo. Você pode senti-lo um dia ou a vida toda. Sofrer por algumas horas ou mastigar a dor por anos.

A fixação de uma emoção depende completamente do seu nível de treinamento para lidar com ela e dominá-la.

As contrariedades, traumas, rejeições e privações continuarão a sobrevir enquanto estivermos empreendendo esta vida. As emoções são inevitáveis. Elas simplesmente vêm!

Porém, com o treinamento correto, podemos conduzi-las para onde quisermos, para que assim jamais sejamos enganados e derrubados interiormente.

Um ser sem excelência emocional não consegue se encaixar no padrão ético exigido pela sociedade atual e acaba sendo excluído facilmente do coletivo.

Ressalto: emoção sem educação é primitivismo.

Não podemos dar uma de "homem das cavernas" no mundo em que vivemos hoje. Chegou a hora de treinar as suas emoções e ter uma vida atualizada.

Você se lembra de que, na introdução deste livro, contei sobre uma das mensagens que apareceu no meu iPhone, quando tentei atualizar o sistema operacional: "Sem bateria suficiente para atualizar?".

Então... sem bateria, sem chance!

Você precisa recarregar a energia.

Conheço pessoas que ocupam altos cargos de liderança e que estão no fim de sua "bateria", vendo o mundo mudar monstruosamente. Esses profissionais não podem sequer reagir e se atualizar, pois, para isso, teriam de ficar um tempo conectados à fonte apenas para recarregar.

Quem não separa um tempo para recarregar as baterias ficará desamparado nos momentos em que delas mais precisar.

Não é isso o que acontece quando saímos na rua e esquecemos o carregador do *smartphone* em casa?

Quando aquele *e-mail* importante está chegando, quando aquela mensagem de *WhatsApp* tão esperada começa a ser enviada, quando um comentário importante em sua rede social é escrito... *boomm*!... acaba a bateria!

Somos privados de informações e conectividade quando ficamos sem ela.

Com as nossas emoções, isso é muito mais sério.

Quando estamos descarregados emocionalmente, nada mais funciona. A vida social, espiritual, financeira, familiar, sexual e profissional desanda, e podemos entrar em caminhos sem rumo algum.

Concluí, depois de superar muitos problemas emocionais, que as emoções querem nos dominar. Elas precisam disso para existir. Elas têm sede de controle.

Porém, analise o fim de uma pessoa que toma decisões importantes com base na *raiva*.

E quem toma decisões a respeito do seu futuro com base no *medo*?

O que dizer de quem promete coisas porque está sob o efeito da *alegria*?

E quem desiste por estar *triste*?

As emoções deveriam ser guias, placas de sinalização, não fatores decisivos.

Não podemos permitir que elas tomem o controle da nossa vida e façam escolhas em nosso lugar. Decisões e escolhas devem ser feitas por meio de análises, conselhos e com prudência, nunca emotivamente. Nesse caso, devemos evocar a razão.

Emoções são passageiras; decisões são permanentes.

GERINDO EMOÇÕES

Quando não somos os gestores das nossas emoções, muitas coisas saem do controle. Os fatores externos são clássicos: fim de relacionamentos, brigas com quem amamos, angústia profunda, insônia, alteração de voz, irritabilidade constante etc.

Mas os fatores internos são os que realmente podem nos derrubar.

São eles que afetam o nosso humor, o sono, os pensamentos e, principalmente, a saúde psíquica.

Mudanças são externas; transições são internas.

O que acontece fora vai gerar uma transição do lado de dentro.

Saber lidar com essas transições é o que determina o nível da sua saúde emocional. Sigmund Freud (1856-1939), conhecido como o pai da psicanálise, soube suportar as críticas de fora, mas tombou diante das críticas de dentro.

Vi muitos líderes espirituais perderem riquezas e magoar muitas pessoas que os cercavam, por causa de problemas emocionais. Não adianta ter poder espiritual e ser um raquítico emocional.

Você pode conquistar muitas coisas como líder por causa do seu dom, do seu talento e das suas habilidades, mas nada garante que essas coisas continuarão nas suas mãos.

O primeiro passo para a excelência emocional é a humildade.

Sem ela, você não reconhecerá quanto já errou, quantos já feriu e o que precisa aprender para tudo isso não se repetir.

"A humildade antecede a honra", disse Salomão em Provérbios 15.33. Desenvolva-se!

Com humildade, entre na estrada da excelência, seja flexível às mudanças e encontre a paz interior pondo cada emoção em seu devido lugar (parece um simples e retórico conselho, mas aqui está um segredo).

A inteligência bíblica nos revela muito sobre inteligência emocional.

O próprio Jesus ficou três anos e meio treinando e refinando seus discípulos no caráter e nas emoções. A parte espiritual (o que chamamos de derramar do Espírito Santo), ele só liberou dias depois de sua ascensão aos céus, o que é relatado em Atos 2. Entendemos, biblicamente falando, que o Espírito é poder e, se Jesus desse poder a pessoas sem excelência nas emoções, elas usariam isso para ferir outras pessoas.

Repare que a Bíblia relata que Tiago e João, ao verem um grupo que não andava com eles, pregando o evangelho, pediram a Jesus que mandasse fogo do céu para queimá-los vivos!

Você tem noção do que eles fariam se tivessem poder antes de se tornarem excelentes emocionalmente?

Excelência emocional não está relacionada a dons, mas sim a frutos. E, de todos os frutos do Espírito, dois definem o que é inteligência emocional: mansidão e domínio próprio.

Sem isso, matamos pessoas. E, na maioria das vezes, usando as palavras como arma.

Contudo, com a mansidão e o domínio próprio, nós temos:

- Vontade de elogiar mais do que criticar
- Calma para decidir em momentos de caos
- Controle sobre os nossos impulsos, ações e pensamentos
- Segurança emocional
- Liderança
- Um saudável debate interior
- Sentimentos em ordem
- Aversão ao ciúme
- Altruísmo
- Prazer em contemplar a criação divina
- Combate às crenças limitantes

Todos nós, de uma forma ou de outra, recebemos palavras negativas, ofensivas e desencorajadoras na infância.

Excelência emocional

Alguns, em um grau mais avançado, escutaram dos próprios pais ou superiores (professores, tios, avós) coisas do tipo: "Você nunca será nada", "Você é burro", "Você sempre será pobre", "Se um dia conquistar algo, vai perder igual a fulano".

Outros, de alguma forma, foram abusados física ou verbalmente. E isso destrói a inocência e atrai enfermidades emocionais.

Muitas pessoas que atendi mundo afora demonstravam fortes crenças limitantes. Logo nas primeiras sessões, eu identificava homens e mulheres que possuíam poder exterior, mas eram "bebês" por dentro.

As crenças limitantes são vozes que surgem na nossa mente quando estamos prestes a conquistar algo, diante de uma grande oportunidade, ou quando uma grande janela se abre nos convidando para um futuro brilhante.

As vozes saem das nossas "cavernas interiores" e começam a gritar: "Você não pode", "Você não consegue", "Você vai falhar", "Você não merece", "Se conquistar algo agora, a vergonha da perda será maior depois" etc.

Só há uma forma de vencê-las: confrontando-as com a realidade.

Certa vez, um *coachee* me disse em uma das sessões que ele *nunca* fazia as coisas direito. Que *tudo* dava errado para ele.

Ele repetiu isso algumas vezes. Entendi que era uma crença limitante e contestei:

— Rodrigo (nome fictício), você fez faculdade?

— Sim — ele respondeu.

— E você se casou?

— Sim — ele disse.

— Você paga as contas e vive com o salário da empresa em que trabalha há anos?

— Sim.

— Você tem filhos?

— Tenho dois.

— Então, Rodrigo, como você pode me dizer que não faz *nada* direito? Como *tudo* dá errado para você, se as principais coisas da vida você fez certo?

Ele refletiu, refletiu. Não se conteve ao perceber o valor do que já havia realizado e chorou.

Temos de lembrar que há uma tendência natural do ser humano de ser generalista e exagerado.

"*Todos* me perseguem!"

"*Nada* é do jeito que eu quero!"

"É *sempre* assim!"

"Você *nunca* faz o que eu digo!"

"*Ninguém* gosta de mim!"

Essas, entre outras, são as frases típicas. As crenças limitantes e a generalização nas colocações têm destruído muitos relacionamentos, enfraquecido muitos lares, quebrado muitas alianças e devastado muitos negócios.

Quebre o que limita você.

VARIAÇÕES DE HUMOR

Sabe quando você tem medo de falar com aquele líder, pois não sabe quando ele estará bem ou mal? Feliz ou triste? Com voz mansa ou agressiva?

As variações de humor são fruto de uma vida emocional descontrolada. Sem dúvida, empiricamente falando, ter um humor constante é uma questão de treinamento. Sou um exemplo disso.

Às vezes, eu acordava e estava de bem com a vida; já no outro dia, eu não queria falar com ninguém. Os meus funcionários confessaram em um *brainstorming* que tinham temor de entrar na minha sala e conversar sobre algo da empresa, principalmente se fosse algum problema, pois nunca sabiam como eu iria reagir.

Uau! Eu jamais perceberia isso em mim mesmo. Essa é a importância de uma equipe eficaz. Falar abertamente o que precisa ser discutido e resolvido.

Quando percebi que necessitava de ajuda, rapidamente comecei a estudar sobre o assunto e descobri que somente treinando as minhas emoções eu seria alguém melhor e teria um humor equilibrado.

Não importa como está o meu dia, decidi ser sempre a mesma pessoa. E, já que posso escolher, decidi ser o melhor.

A minha fisiologia mudou. Fazendo chuva ou sol, com dinheiro ou sem dinheiro, o sorriso começou a fazer parte da minha rotina, e apertos de mão e abraços calorosos começaram a ser distribuídos gratuitamente. Declarar somente coisas boas e positivas se tornou uma obrigação para mim.

Foi aí que me dei conta de que ser feliz e fazer os outros felizes não depende de fatores externos, de como o mundo está ou do que os outros fazem comigo, mas sim de como decido que será o meu dia. De como lido com as transições dentro de mim.

O humor é um fator muito importante para sermos aceitos. Ninguém quer estar perto de uma pessoa mal-humorada. Já aquela que tem bom humor (não me refiro a ser um piadista, e sim a alguém com equilíbrio) não é facilmente esquecida.

Lembre-se: o seu humor influencia diretamente como as pessoas o veem e se lembrarão de você.

Não crie mais desculpas; apenas decida ser o dono do seu futuro, e seja bem-humorado.

Enfrente a sua rotina com um grande sorriso, lidando com as contrariedades.

Uma vida atualizada entende que nada é melhor do que uma contrariedade para promovê-la. As contrariedades da vida têm duas funções: enterrar ou promover você.

O interessante de tudo isso é que a escolha é sua. Cada um define ou interpreta a contrariedade como quiser.

Uma coisa eu posso garantir: as contrariedades *nunca* vão parar de chegar.

Não importa se você ganha 1 milhão de dólares ou 500 dólares por mês, olhe para o lado, olhe para a frente, e você verá bem de perto a contrariedade.

As dificuldades do caminho, os buracos inesperados na estrada, o tempo que acaba antes do previsto, a morte de um ente querido que chega de surpresa, a economia do país que desanda... Sempre teremos a contrariedade por perto.

Defino contrariedade como algo contrário à nossa vontade.

Queremos férias no Caribe, mas o dinheiro só nos permite alugar bons filmes e comprar pipoca para uma semana.

Gostaríamos que tivesse sol durante aquele evento tão esperado, mas vem o temporal e estraga o belo projeto.

> *Quando a nossa vontade é frustrada por algo contrário, temos a chance de crescer ou sofrer.*

A vida está em constante transformação e, com as mudanças, aparecem as contrariedades. Aprenda a conviver com o inevitável e a vencer o que antes o derrubava.

ESTABILIDADE E CONGRUÊNCIA DE PENSAMENTOS

Estabilizar pensamentos é para os fortes. Literalmente, apenas quem conseguir fortificar sua mente pode desfrutar de congruência e estabilidade de pensamentos.

Não conseguimos controlar o que pensamos. Em frações de segundos, uma imagem se forma na nossa mente e, antes que percebamos do que se trata, ela já está exposta na nossa imaginação. E por lá fica.

Por favor, peço que *não* imagine um elefante rosa agora.

E aí?

Você imaginou, não foi?

É impossível controlar pensamentos. E pensamentos geram sentimentos e emoções.

Mesmo tendo eu pedido que você não imaginasse, você não conseguiu evitar.

Então, se não podemos controlar os pensamentos, como seremos gestores de nós mesmos? Donos do nosso eu?

Excelência emocional

Os cinco sentidos registram automaticamente tudo, simplesmente tudo o que nos acontece desde que nascemos. A TIM (teoria da inteligência multifocal) chama isso de memória RAM (registro automático da memória).[1]

E a nossa plataforma mental, que cria os pensamentos, é formada por tudo aquilo que foi registrado pelos cinco sentidos. Em especial, a visão e a audição. Na verdade, 85% dos registros na nossa plataforma mental vêm desses dois sentidos.

Bem, se não podemos controlar pensamentos, podemos, ao menos, selecionar melhor o que será registrado por meio da visão e da audição, para assim "purificar" a construção dos nossos pensamentos e imaginação.

Selecione rigorosamente o que você vê e escuta.

A felicidade não tem nada que ver com o prazer.
O prazer é um momento; a felicidade, uma escolha.

ATUALIZAÇÃO 9:

Quem está no comando? Você ou as suas emoções? Quem decide o seu futuro? Domine as suas emoções, ou elas governarão você.

Os sentimentos não são guias confiáveis da conduta humana. Por isso, eles só são positivos quando subordinados à razão.

Razão é o senso de unidade entre experiência e memória, percepções e sentimentos, atos e palavras. *Razão*, use-a diariamente. Não há contraindicação.

É preciso educar os sentimentos, que são frutos de pensamentos, reduzindo assim seus efeitos colaterais. E a meta dessa educação é a maturidade.

---

[1] Cury, Augusto. **Teoria da inteligência multifocal**. São Paulo: Cultrix, 2001.

A maturidade emocional não vem com a idade, mas com responsabilidades assumidas e "guerras" vencidas.

Muitos líderes revolucionários ou intelectuais ativistas eram apenas homens imaturos que projetaram sobre a sociedade na qual viviam desejos subjetivos e egoístas, além de temores e ilusões, produzindo dessa forma o mal em nome do bem.

Estude a vida de Josef Stalin (1878-1953), o líder da extinta União Soviética, ou de Mao Tsé-tung (1893-1976), o líder comunista chinês, e você saberá do que estou falando aqui.[2]

Uma vida atualizada conserva a esperança mesmo diante da opressão e de tormentosos sofrimentos. Mesmo diante dos problemas diários, o que nos faz sobreviver é o avanço e a esperança. Desenvolva maturidade com esperança, e você terá uma vida abundante.

SOMOS ESCRAVOS DO QUE FALAMOS

Das várias formas de escravidão às quais um homem pode se submeter na vida, como a escravidão física, sentimental, emocional (quando não se perdoa alguém, por exemplo) e espiritual, a mais comum é a escravidão às palavras. Uma vez que saem da boca, as palavras escravizam quem as falou.

Aprendi caminhando pelas estradas da vida que a educação é uma conquista pessoal. Por isso, conquiste a educação emocional. Isso começa pelas suas palavras. Domine-as. Seja senhor de cada uma delas.

O silêncio também é uma forma de comunicação.

Um dos segredos da excelência emocional é falar pouco. Ouvir muito e só abrir a boca para dizer o necessário.

Vai aqui outro conselho do pensador Salomão, em Provérbios 13.3: "Quem guarda a sua boca guarda a sua vida, mas quem fala demais acaba se arruinando".

Na alma do ser humano estão os sentimentos, emoções, intelecto, vontades...

---

[2] Montefiore, Sebag. **Stallin:** a corte do czar vermelho. São Paulo: Companhia das Letras, 2006.

Quem guarda a boca, segundo o nobre sábio israelita, conserva suas emoções. Quem fala muito atrai perturbação.

É simples!

De que lado você está?

Não pare para escutar o que as pessoas falam dos outros. Não se deixe contaminar.

Não fale de ninguém para ninguém. Você já tem os seus próprios problemas para resolver.

Encontre caminhos para não compartilhar a estrada da fofoca, da contenda e da murmuração com aqueles que só sabem maldizer.

Você costuma falar dos outros? Você guarda segredos ou os revela?

Você grita quando está nervoso ou sendo contrariado? Fala demais? Usa palavras torpes?

De que lado você está?

CONSEQUÊNCIAS DA FALTA DE EXCELÊNCIA EMOCIONAL

Responda às seguintes perguntas:
1. Você acorda cansado?
2. Tem dificuldade para dormir?
3. Irrita-se facilmente?
4. Tem dores musculares constantes e sem motivos?
5. Sofre por antecipação?
6. Tem dificuldade em dizer *não*?

Se as suas respostas foram "sim", é provável que você esteja acometido de um mal que o dr. Augusto Cury, médico psiquiatra brasileiro, autor da teoria da inteligência multifocal, chamou de SPA — síndrome do pensamento acelerado. Essa síndrome atinge mais de 75% dos líderes mundiais.

A ansiedade, que ficou conhecida como o mal do século, também é uma importante inimiga da excelência emocional. A ansiedade destrói a qualidade de vida.[3]

---

[3] CURY, Augusto. **Ansiedade**. São Paulo: Saraiva, 2013.

Uma vida atualizada está sempre atenta às ameaças de SPA, ansiedade, depressão ou qualquer outro sintoma de desgaste e desequilíbrio emocional.

Vamos falar sobre isso a seguir, com mais calma.

DEPRESSÃO

O excesso de atenção ao passado tem levado muitos à beira do precipício emocional. Este livro não tem por objetivo abordar de forma técnica ou explicar cientificamente os processos da saúde mental de uma pessoa. Porém, faço um alerta quanto aos assuntos que devemos estudar mais a fundo, para assim blindarmos as nossas emoções contra esse tipo de ataque.

Quando tudo dá errado, quando sofremos uma grande perda, quando não vemos resultados, mesmo depois de anos de tentativa, quando somos traídos ou surpreendidos negativamente, é ela que bate à porta do nosso coração: a depressão.

Esteja atento a ela.

De todos os meus *coachees*, 35% se enquadravam em quadro depressivo.

Escutei histórias de muito sofrimento e dor. Infelizmente, cada ser humano interpreta a dor de uma forma, e é isso que, por fim, determina se você terá ou não sucesso na vida emocional.

Veja que, no livro bíblico de Neemias, o próprio recebe notícias sobre sua cidade, Jerusalém, que estava destruída, com os muros queimados e o povo em grande miséria. Quando a notícia devastadora chega a seus ouvidos, Neemias se assenta, chora e lamenta por dias.

A tristeza não é fácil de disfarçar. Por isso, o rei percebeu que o rosto daquele judeu estava abatido e lhe perguntou por que ele estava assim.

Neemias, que era copeiro do rei babilônico, em terra de escravidão, respondeu que estava depressivo por causa das más notícias que recebera sobre sua cidade, família, amigos e conterrâneos.

Por fim, ele pediu que o rei o liberasse para uma missão de reconstrução, e o rei concordou.

Neemias interpretou o dia mau, a notícia de que tudo estava destruído, como uma oportunidade. Em 52 dias, ele reconstruiu Jerusalém e se tornou governador da cidade.

Isso mesmo: um servo copeiro usou sua dor não para se afogar na depressão, mas para mudar o futuro.

Com Mefibosete, neto do rei Saul e filho do príncipe Jônatas, o melhor amigo de Davi, não foi assim. Ele não interpretou suas perdas e dores da mesma forma que Neemias.

Quando Davi perguntou se existia alguém da casa do antigo rei Saul para que ele exercesse misericórdia para com ele, alguém respondeu:

— *Sim*! Mefibosete, filho de Jonatas, que tem uma grave deficiência nos dois pés.

Então, Davi alegrou-se e disse: — Traga-o já!

Ao trazer o jovem, ele se assustou diante de Davi e declarou: — Quem sou eu para estar na presença do rei, visto que não passo de um cão morto?

Somente essa cena daria tema e textos para um livro.

Mas vamos lá: esse jovem era príncipe, vinha da linhagem real e tinha sangue nobre nas veias.

O trecho de 2Samuel 4.4 nos informa que, quando Mefibosete tinha 5 anos, sua babá, ao escutar as notícias de que Saul e Jônatas haviam sido mortos na batalha, apressou-se em fugir com ele. Mas, ao correr, ela caiu com a criança, cujas pernas foram atingidas gravemente, e por isso Mefibosete ficou incapaz de mexer os pés para sempre.

A perda foi extrema para apenas um dia. Ele também perdeu o pai, o avô, a sucessão ao trono, as riquezas, os amigos, a cidade natal, *tudo*!

A dor foi tanta que ele viveu em outra cidade como se fosse um "cão morto".

Era um príncipe, um nobre, que se via como um nada.

As perdas, se não forem bem administradas, distorcem a visão de quem realmente somos. A tristeza ganha passe livre para entrar na alma e, por fim, escondemo-nos como se fôssemos um nada.

Mefibosete usou sua dor para sofrer, para morrer aos poucos, para se minimizar e para se fazer de vítima.

A dor e a perda só servem para duas coisas, insisto: para fazer você *crescer* ou *sofrer*.

A depressão, em geral, tem atingido mais as mulheres. Não são poucos os casos que recebo de esposas de grandes líderes que não "suportaram a pressão" e hoje estão depressivas.

Por incrível que pareça, em pleno século XXI, ainda existe resistência em procurar ajuda especializada. Nesse caso, a de um psiquiatra.

A ajuda espiritual é importante, pois dá direção e aponta destino; a fé é usada como alavanca para voltar à vida normal. Porém, não devemos deixar os profissionais de lado.

ATAQUE DE PÂNICO

Os ataques de pânico estão cada vez mais comuns. O aumento gradativo e espantoso desse tipo de episódio entre as lideranças tem posto o assunto em pauta. Não podemos tratar aquilo que não conseguimos identificar.

O pânico é a evolução maligna do medo. O medo até certo ponto é natural e funciona como um aviso interno. Se eu estiver no alto de uma montanha e me inclinar para ver o penhasco, o medo me avisará de que estou em perigo.

Em geral, o ataque ou síndrome do pânico é desencadeado pela evolução do medo ou pelo transtorno de ansiedade. Garanto a você que é uma das experiências mais penosas pelas quais um ser humano pode passar. Em 2008, fui acometido de uma depressão e de seguidos ataques de pânico. No meu livro *Rumo ao lugar desejado*, conto sobre essa etapa da minha vida.

Ninguém está livre disso. E quem não sabe lidar consigo mesmo não reedita o passado, não planta as sementes da inteligência no presente, acaba condenado a um futuro ruim.

A ansiedade, normalmente, é a "antessala do medo", como diz o psiquiatra e escritor argentino Sebástian Palermo, de Córdoba, com quem tive o privilégio de estar por horas aprendendo mais sobre esse tema.

Em seu livro *Aprendendo a sentir: educar las emociones*, o dr. Palermo mostra algumas definições sobre a ansiedade, baseando-se no *Manual de saúde mental*, da Associação de Psiquiatria Americana (DSM IV). Entre essas definições, selecionamos a seguinte:

> **Transtorno de ansiedade generalizada:** caracteriza-se por ansiedade e preocupação excessiva, difíceis de controlar, que provocam deterioração na qualidade de vida e chegam a afetar diretamente a vida profissional, social e familiar. Essas preocupações são intensas, permanentes e perturbadoras. As pessoas que sofrem de ansiedade têm sérias dificuldades para disfarçar a inquietação, e todos à sua volta notam que algo está muito errado.
>
> Os sintomas que acompanham a ansiedade são fadiga, insônia, dificuldade de concentração, tremores, irritação constante, tensão muscular, inquietação motora (mexer as mãos a todo momento, bater os pés etc.), suor excessivo, náuseas, sequidão na boca, diarreias e, às vezes, incontinência urinária.

Por isso, cada dia que passa, acredito mais na Bíblia como a verdade absoluta. Tantos milênios se passaram e ela segue sendo atual. Quer ver?

Veja o que dizem estes versículos:

"Não andem ansiosos por coisa alguma" (Filipenses 4.6).

"Lancem sobre ele toda a sua ansiedade, porque ele tem cuidado de vocês" (1Pedro 5.7).

A ansiedade como transtorno social foi prevista há séculos pelo manual de vida do *Homo sapiens*: a Bíblia.

Você já teve ou conhece alguma pessoa que já teve ataques de pânico? E transtornos de ansiedade? Alguns dos sintomas citados anteriormente têm-no visitado diariamente?

Não se sinta mal se as respostas forem "sim". Esse é o mal que mais cresce na nossa década.

Precisamos estar fora dessas estatísticas se quisermos ter uma chance de atualização.

Saúde emocional é primordial nos tempos de hoje. Quem tiver mais excelência nessa área *vence*!

Vence na família, na profissão, nas finanças e no amor. Livre-se do medo, do pânico e da ansiedade. Procure um especialista na área, peça ajuda a pessoas de confiança e tenha um mentor espiritual.

Atualize a sua vida!

CANSAÇO FÍSICO E MENTAL

Não é novidade que a vida emocional pode afetar o nosso desempenho físico e mental. O número de executivos e líderes institucionais com estafa e altíssimo nível de estresse é incontável.

Você se lembra de que falamos sobre a necessidade de recarregar a bateria?

Quando estamos cansados física ou emocionalmente, muitos imprevistos que seriam fáceis de ser contornados se tornam grandes vilões na nossa vida.

O cansaço diminui o nosso rendimento em um mundo competitivo que está prestes a nos tragar.

Revitalizar, renovar e atualizar são ações obrigatórias para quem deseja vencer.

Ter um sono reparador de no mínimo sete horas por dia, manter uma alimentação saudável, praticar exercícios físicos pelo menos três vezes na semana e cultivar um *hobby* são as providências físicas que você precisa tomar para se proteger do desgaste.

Porém, isso apenas contribui. As emoções, geralmente, são as que direcionam o seu vigor físico e mental.

Por isso, grave esta palavra: *ordem*.

A sua vida emocional precisa estar em ordem.

E, para deixá-la "em dia", você precisa perdoar. Seja o que for, seja quem for.

Perdoar não é esquecer. É lembrar sem dor.

Recentemente, vi o brilho invadir os olhos de uma funcionária nossa. É que ela seguiu os nossos conselhos e perdoou um parente que fez algo terrível contra ela quinze anos atrás. Enquanto o perdão não chega, a paz se afasta.

Excelência emocional

Ponha-se no lugar do outro.

Antes de julgar, sentir raiva, condenar, insultar, falar coisas ou rebater, acalme-se! Respire fundo e ponha-se no lugar de quem o feriu, tratou mal ou fez algo de que você não gostou.

A empatia nos protege emocionalmente e garante que a maturidade seja nossa aliada.

Critique, questione e duvide dos seus sentimentos negativos.

Quando o medo, a raiva, o ódio, o desejo de vingança ou a rejeição baterem na porta do seu coração, não deixe que entrem sem primeiro criticar esses sentimentos.

É necessário questionar por que eles estão tão intensos e, principalmente, duvidar do nível de realidade deles.

Lembre-se de que a maioria dos nossos sentimentos negativos e destrutivos não é real. A nossa mente tem o poder de criar e potencializar sentimentos com base em pensamentos ou interpretação equivocados da realidade.

Caro leitor, já vi muita gente competente, próspera e altamente capaz perder *tudo* por não conquistar a excelência nas emoções. Não seja um deles. Não confie apenas no seu talento e nas suas conquistas. Saiba que o que está dentro, não fora, determina o seu sucesso ou fracasso.

Priorize isso. Dê atenção a essa área da sua vida.

Não deixe que um dia passe após o outro em vão. Certifique-se de que você vive o melhor da sua ICP — ideia central permanente —, do seu propósito, a cada manhã.

De 0 a 10, como estaria a sua vida emocional hoje?

Dependendo da resposta, releia este capítulo o mais rapidamente possível.

RIQUEZA INTELIGENTE

Capítulo 10

"*Fraqueza é achar que ter problemas é um problema.*"

TIAGO BRUNET

ATUALIZANDO...

75% atualizado

INTELIGÊNCIA FINANCEIRA

Quem nunca teve problemas financeiros, que atire a primeira pedra!

Ter problemas não é um problema. As contrariedades fazem parte desta vida. Tratando-se de finanças, isso é ainda mais comum. Estranho e anormal é *viver* com problemas. Alguns têm os problemas financeiros como um membro eterno da família.

Platão, em seu célebre livro *A República,* diz que "a necessidade é a mãe das nossas escolhas". Desde as necessidades mais básicas até as supérfluas, decidimos por aquilo de que necessitamos. O ponto crucial é definir o que são necessidades reais ou invenções da nossa mente para preencher os vazios emocionais e existenciais.

Na verdade, o problema nunca é o problema. Existem *padrões* que criam os problemas. Se você resolver o efeito sem identificar e consertar as causas que o geram, *nada* se resolve. Queremos solucionar o efeito sem eliminar a causa.

No meu segundo livro publicado, *Dinheiro é emocional,* revelo algumas bases para essa ideia e conto casos que esclarecem o assunto. Ali explico que muita gente possui sérios problemas com dinheiro (efeito), mas que a causa desses problemas é emocional.

As frustrações e privações do passado acabam influenciando o nosso destino financeiro.

Afinal, ficaremos para sempre pagando contas e apenas sobrevivendo?

Qual é a diferença entre nós e os escravos, tendo em vista que uma das definições de escravo é aquele que trabalha sobre grande esforço ou tortura para poder comer e dormir?

Qualquer semelhança com a realidade é mera coincidência.

Uma vida atualizada entende que o dinheiro não traz felicidade; o que traz felicidade é a liberdade.

> *"Com a liberdade, podemos ter tempo para conquistar a felicidade."*
> (Nelson Mandela)

Entenda que uma das funções da atualização do iPhone, segundo um famoso *site* de tecnologia, é: "Correção de *bugs* em todo o sistema operacional".

Bugs são falhas ou erros nos códigos de um programa.

Ou seja, se não nos atualizarmos, nunca encontraremos os *bugs* da nossa vida financeira.

E muitos desses defeitos não estão visíveis, pois estão codificados.

Não sou adepto da teologia da prosperidade. Não acredito que a fé paga as nossas contas ou nos livra de cair no SPC (Serviço de Proteção ao Crédito). Creio em planejamento, disciplina, trabalho, investimento e estratégias, tudo isso regado a uma fé inabalável.

Porém, seria ignorância da minha parte refutar o óbvio. Cumprir os princípios milenares bíblicos garante uma vida de plenitude, inclusive na parte financeira. Afirmo isso por estatísticas e pesquisas.

Estive mais de 40 vezes em Israel e estudei profundamente sobre a riqueza do povo judeu. O dízimo (10% de toda renda que judeus e cristãos entregam a Deus) é o motivo mais citado para apontar o porquê de tanta sabedoria e prosperidade. Converse com os mais bem-sucedidos empresários cristãos do mundo, e eles dirão a mesma coisa.

Repare que não me refiro a pertencer a uma religião, e sim em cumprir as regras da inteligência bíblica. A religião não tem a função de fazer ninguém prosperar. Já cumprir princípios provoca esse efeito.

Logo, concluo que nem teologia nem filosofias positivas, como a autoajuda, podem enriquecer o ser humano. Somente os princípios bíblicos.

ADQUIRINDO RIQUEZAS

Adquirir riquezas é um dom concedido pelo Criador. Os que o têm devem ser bons mordomos do que lhes foi confiado e desvendar o propósito dessa riqueza aqui na terra. Acredite: a sua felicidade depende disso. Não da riqueza, mas do propósito.

Em geral, essa ICP — ideia central permanente (*propósito*) — está ligada a patrocinar projetos que irão beneficiar a humanidade.

Para os que não receberam esse dom, não faz diferença, pois administrar riquezas é um trabalho como outro qualquer. Tem seus prazeres e seus desgastes. Não confunda as verdadeiras riquezas com a vaidade e a futilidade da ostentação.

> *Prosperar é uma decisão que patrocina o nosso propósito na terra. A riqueza atrai grande responsabilidade para com a humanidade.*

Nascemos com a capacidade de pensar, escolher, desenvolver ideias e sonhar. A inteligência veio como um presente do Criador para fazermos tudo isso ao mesmo tempo e ainda termos consciência da recompensa.

Riqueza inteligente é riqueza com propósito.

O difícil é vivermos o nosso dia a dia, cheios de limitações e contrariedades, desanimados pelas situações difíceis, distraídos pelo excesso de entretenimento, e conseguirmos enxergar e praticar os princípios que nos garantem uma vida verdadeiramente rica.

A riqueza financeira é apenas uma parte da verdadeira riqueza.

CINCO COISAS QUE UMA VIDA ATUALIZADA DEVE ENTENDER SOBRE RIQUEZA

1. CONSELHOS VALEM MAIS QUE OPINIÕES

Nos dias correntes, as opiniões têm dominado a vida de alguns. As pessoas se movem por elas. Tomam decisões pelo que os outros acham. Até mesmo pelo o que a "filosofia facebookiana" sugere.

Está cada vez mais raro encontrar pessoas blindadas contra opiniões alheias. O problema da opinião é que qualquer um pode dar. Já os conselhos, somente três tipos de pessoas podem oferecer:

1. Quem ama você.
2. Quem tem mais experiência do que você.
3. Quem é especialista no assunto.

Salomão, o homem mais rico e sábio que já existiu segundo a História, foi rei de Israel logo depois de seu pai, Davi. Ele escreveu no seu livro clássico, Provérbios: "Os planos fracassam por falta de conselho, mas são bem-sucedidos quando há muitos conselheiros" (15.22).

Quando queremos iniciar um projeto de vida, comprar um imóvel, abrir uma empresa, investir dinheiro ou qualquer outra coisa que possa gerar riquezas, a quem escutamos?

Esse é um ponto que define o seu futuro financeiro. Você escuta opiniões ou ouve conselhos?

Quem guia os seus passos?

Uma vida atualizada foca em:
- Descobrir quem são os especialistas.
- Discernir quem são as pessoas que o amam.
- Encontrar pessoas que já passaram pelo que você pretende empreender.

Quando escrevi o meu primeiro livro, *Rumo ao lugar desejado*, escutei as opiniões de algumas pessoas. A maioria me desanimou. Ouvi coisas do tipo: "Quem é você para escrever um livro?", "Você tem tempo para isso?", "Você não é muito jovem para achar que pode ensinar alguém?".

As opiniões foram tão limitantes que resolvi buscar conselhos.

Procurei os meus pais.

Busquei um grande jornalista do mercado (especialista), que, por acaso, é o meu irmão, Daniel.

Por fim, fui ao campeão de vendas de livros dos últimos dez anos no Brasil, o dr. Augusto Cury (que tem experiência no assunto).

Todos me confrontaram, apontaram as dificuldades, indicaram o que não estava bom na obra, mas, por fim, concordaram que eu deveria publicar.

Pela opinião dos outros, o meu livro nunca sairia do papel. Pelos conselhos, eu ainda precisava melhorar, mas deveria publicá-lo.

O livro *Rumo ao lugar desejado* foi, por um ano inteirinho, o mais vendido da editora pela qual o publiquei. Entrou nas principais livrarias do país e foi recomendado pelo maior escritor do Brasil.

Não empreenda sem saber para onde você está indo!

Busque conselhos. Pague o preço para obtê-los.

Ter bons conselheiros, bem como mentores de excelência, custa caríssimo. Mas, ainda assim, sai mais em conta do que viver uma vida financeira desatualizada.

Lembro-me que, para me aproximar de Roberto Navarro, CEO do Instituto do Coaching Financeiro e da Matrix Invest, paguei (e em muitas prestações) dois cursos com ele, levei-o para jantar, fiz uma viagem aos EUA para ouvi-lo em um terceiro curso, comprei todos os livros dele e, enfim, começamos a nos falar de pupilo para mentor.[1]

Um bom conselheiro, específico e disponível, não é fácil de achar. Caso você o encontre, pague o preço necessário para ficar perto dele.

Uma vida atualizada precisa de mentores inteligentes, conselheiros da riqueza.

No mundo globalizado, capitalista e próspero como o de hoje, uma pessoa atualizada pode ter grande acesso à riqueza. Ganhar deixou de ser o problema. Manter e multiplicar são a dificuldade atual.

Um mentor financeiro é mais do que um libertador; é um guia de investimentos.

Sempre que você quiser ou precisar lidar com finanças na posição de líder (seja de si mesmo ou de outros), tenha sempre conselheiros por perto.

---

[1] NAVARRO, Roberto. **Quebrando mitos com o dinheiro**. Rio de Janeiro: Momentum, 2015.

Se necessário, forme uma equipe para isso.

A sua margem de erro diminuirá drasticamente. O seu nível de acertos saltará. Acredite: certas opiniões apenas nos distraem, mas há poder nos conselhos.

Conselhos geram ideias, e ideias bem executadas enriquecem!

Liste agora as pessoas que você gostaria de ter como mentores financeiros, como conselheiros de riquezas.

_____
_____
_____
_____
_____
_____
_____
_____

Depois de identificar quem poderiam ser tais pessoas, crie as estratégias para chegar até elas.

_____
_____
_____
_____
_____
_____
_____
_____

Um conselho do livro de Provérbios diz: "O presente abre o caminho para aquele que o entrega e o conduz à presença dos grandes" (18.16).

Você não pode comparecer na presença de um rei com as mãos vazias. Essa não só é uma regra básica da etiqueta social, como também é um princípio bíblico.

Presentes aproximam pessoas. Pessoas aproximam propósitos!

2. PERGUNTAS SÃO MAIS IMPORTANTES QUE RESPOSTAS

Em Êxodo 2, lemos uma história muito interessante. Moisés, que viria a ser o grande herói hebreu, nasceu durante uma ferrenha perseguição egípcia contra seu povo, que era escravo na época.

Naquele tempo, havia um decreto do faraó designando que todo menino hebreu nascido no Egito deveria ser morto. Menciono aqui uma mãe desesperada, que, não podendo mais esconder seu filhinho de 3 meses de vida, resolveu colocá-lo em uma cesta de junco e deixá-lo no rio Nilo. Refiro-me a Joquebede, a mulher que deu à luz o libertador Moisés.

Quando o bebezinho já estava na cesta dentro do rio Nilo, a filha do faraó, que havia descido ao rio para banhar-se com suas donzelas, encontrou a cesta com o menino e se compadeceu dele.

É nesse momento que algo incrível acontece. Miriã, irmã de Moisés, que assistia de longe ao que aconteceria com seu irmãozinho, aproxima-se da filha do faraó e lhe faz uma pergunta:

— Olá, com licença. A senhora gostaria que eu buscasse uma babá das hebreias para cuidar do menino?

A pergunta sugestionou uma ideia. Gerou um destino.

E a filha do faraó respondeu: — Sim!

Então correu Miriã e buscou a própria mãe de Moisés. Quando Joquebede chegou à presença da princesa, esta declarou:

— Cuide deste menino para mim e eu pagarei a você um salário.

Com apenas 3 meses, Moisés começou a cumprir o seu destino na terra e libertou a primeira pessoa de seu povo: a própria mãe!

Isso mesmo! Joquebede deixou de ser escrava naquele dia para se tornar uma funcionária assalariada.

Tudo isso por causa de uma pergunta. E tem gente que deixa de fazer uma pergunta por vergonha. Já pensou se Miriã tivesse sentido vergonha naquela hora e não fizesse tal pergunta?

O próprio Jesus, a mente mais inteligente que já passou pela terra, não costumava responder, mas adorava perguntar.

Jesus conhecia o poder de uma pergunta.

Quando vinham questioná-lo se ele era o Messias esperado em Israel, Jesus contestava, perguntando: "O batismo de João era do céu ou dos homens?" (Marcos 11.30).

Dessa forma, confundia os que o questionavam. Estes saíam sem poder surpreender Jesus.

Davi também era adepto das perguntas poderosas!

Quando Abisai, seu homem de confiança, quis matar Saul com um só golpe enquanto o rei dormia, Davi perguntou a ele: "Quem pode levantar a mão contra o ungido do SENHOR e permanecer inocente?" (1Samuel 26.9b).

Abisai desistiu de matá-lo.

Perguntas são mais importantes que ordens diretas

Assim, como posso utilizar as perguntas em prol da conquista da riqueza inteligente?

Miriã liberou um destino por causa de uma pergunta, e Davi mudou a má intenção do coração de Abisai com uma pergunta. Você pode chegar a patamares de riqueza com os quais nunca sonhou fazendo as perguntas certas.

Para esclarecer ainda mais sobre o assunto, pergunto:

— O que você costuma fazer quando está diante de alguém importante?

Alguns tiram *selfies*, outros fazem perguntas que mudam destinos.

Foi o caso de um jovem *office boy* que, por dois anos, insistiu em falar com o diretor de um grande banco. Depois de inúmeras tentativas e muita insistência, o diretor o atendeu por dois minutos.

Quando o jovenzinho entrou na sala, o chefão logo foi dizendo:
— Garoto, você tem dois minutos.
E o menino respondeu, sorrindo: — Não preciso de tudo isso!
Vim fazer apenas uma pergunta:
— Como faço para montar um banco?
O diretor sorriu, desconfiado e incrédulo, mas explicou o processo, já que havia prometido aqueles minutos ao *office boy*.

Hoje, vinte anos depois, aquele garoto que sabia fazer perguntas, é dono de um banco. Essa história é real, e eu sou *coach* desse banqueiro, um ex-*office boy*.

PERGUNTAS PARA REFLEXÃO E RESPOSTAS

1. Por que ainda não cheguei ao nível de riqueza que patrocina o meu propósito na terra? (Escreva o que vier à sua mente neste momento.)

2. Qual é a minha referência de riqueza inteligente? Tenho um modelo a seguir?

3. O QUE VOCÊ ESCUTA E VÊ FORMATA OS SEUS PENSAMENTOS

A neurociência declara que os nossos pensamentos são criados por uma plataforma mental que é moldada pelos cinco sentidos. Em especial, audição e visão, como falamos anteriormente.

Ou seja, o que ouvimos e vemos formatam os nossos pensamentos. Já que não podemos controlar o que pensamos (é simplesmente impossível), como, ao menos, podemos construí-los de forma saudável?

Fazemos isso selecionando o que vemos e escutamos.

Quando se trata de riqueza, essa é uma verdade ainda maior.

Ninguém é pobre ou rico. Você está pobre ou está rico. Dinheiro não dá a você uma condição fixa, e sim variável.

Isso quer dizer que somos fruto do que vivemos na infância, da educação que tivemos, das pessoas com quem convivemos e de *tudo* o que escutamos e vemos nesta vida.

Quando decidi ter uma riqueza inteligente, investi "pesado" em livros, cursos, palestras e seminários. Eu queria respirar tudo aquilo.

Comecei a andar com pessoas que entendiam de finanças e riquezas. Afastei-me dos que se apegavam "ao vinho e ao azeite", como diz Provérbios 21.17.

Eu queria pensar como os que prosperam. Queria escutar o que eles escutavam. Descobri que o segredo da inteligência financeira era aprendizado, experiência e prática. Aprendizado, experiência e prática.

Aprendizado, experiência e prática.

Aprender com quem venceu.

Experimentar os conselhos de quem venceu.

Praticar os ensinamentos e a experiência de quem venceu.

Seja mentoreado pelos que venceram, mesmo que você nunca os veja pessoalmente.

Certa vez, alguém me abordou após uma palestra que ministrei sobre "educação financeira para igrejas e instituições" e me perguntou:

— Não é chato viver viajando? Filas de *check-in*, filas de embarque, esperas nas conexões, longos voos... Deve ser maçante.

Eu sorri e respondi:

— Jamais perdi tempo em filas, esperas ou voos longos. Sempre estou com dois ou três livros na mochila, dezenas de palestras no iPad, revistas de neurociência, *coaching* ou teologia em mãos. Nunca deixo a minha mente voar. Estou sempre produzindo!

Existem pessoas que perdem horas de seu dia vendo TV, assistindo a vídeos violentos ou sensuais, falando da vida dos outros ou lendo fofocas, gastando seus preciosos minutos com o que vai formatar seus pensamentos de forma maléfica e distante da riqueza inteligente.

Lembre-se: o que você vê e escuta formata quem você é.

4. DE QUEM VOCÊ É ESCRAVO?

Em geral, somos escravos de algo ou alguém. Digo isso partindo do princípio de que liberdade é ter poder de escolha. E nem tudo o que temos e somos hoje é fruto de uma decisão nossa.

Quando compramos uma casa, por exemplo, escolhemos a melhor, a dos sonhos, ou compramos aquela que podemos pagar?

Quando vamos a um restaurante, comemos o que queremos ou o que o lado direito do menu permite?

Liberdade é poder de escolha!

Se você não pode escolher, ainda é escravo. Isso vale para os seus sentimentos, desejos, relacionamentos e, é claro, para a sua vida financeira.

Para se livrar da escravidão, a educação é o martelo que rompe as algemas.

Educar-se financeiramente é tão importante quanto obter a educação fundamental.

Note que os países com maior índice de problemas financeiros em sua população, e com grande crescimento de "igrejas da prosperidade", são países sem educação nessa área.

Sem educação, somos facilmente escravizados.

A manipulação só exerce governo entre os leigos e incultos.

Eduque-se, organize-se, trabalhe e invista.

Com esses passos, em pouco tempo as algemas vão se romper, e você sentirá a paz que a liberdade proporciona.

5. PRINCÍPIOS VALEM MAIS DO QUE OPORTUNIDADES
Nem toda oportunidade que aparece é a nossa. Quem tem inteligência financeira entende bem isso.

Para termos acesso à riqueza inteligente, ou seja, àquela que irá patrocinar o nosso projeto, o nosso destino na terra, precisamos aprender a analisar, estudar e acertar nas escolhas da vida.

Há ocasiões em que as oportunidades aparecerão irresistivelmente prontas para nós, como a realização de um sonho, um cumprimento de propósito.

Mas como analisar se uma excelente oportunidade é a "minha" oportunidade?

Simples. Vamos recorrer à inteligência bíblica. Vamos voltar àquela história de Davi e Abisai. Quando Davi faz a pergunta que freia a vontade de Abisai de matar Saul, uma grande revelação é feita.

Matar Saul seria a maior oportunidade para Davi se tornar rei. E mais do que isso: seria o cumprimento da profecia de Samuel.

Porém, um problema foi identificado por Davi.

Essa oportunidade quebrava um princípio: tocar no "ungido do Senhor".

Assim, entendo que uma oportunidade pode ser excelente, mas, se ela quebra algum princípio, não é a sua oportunidade.

Pois princípios valem mais do que oportunidades!

Quantas empresas quebraram quando seus executivos resolveram aproveitar uma grande oportunidade? Porém, era uma oportunidade que quebrava o princípio dos impostos.

Outros aproveitaram a oportunidade de serem promovidos quebrando o princípio da honestidade. E por aí vai...

Lembre-se: dinheiro só serve para servir a você. Nunca o contrário!

CINCO ERROS DE UMA VIDA ATUALIZADA QUE VOCÊ JAMAIS DEVE COMETER

1. GASTAR MAIS DO QUE GANHA

Palavra-chave: descontrolado.

Os descontrolados vivem em apuros. Dia de muito, véspera de nada!

Ter autocontrole financeiro e emocional é a base para gastar menos do que se ganha. Sem isso, você nunca terá a diferença (entradas-saídas) para investir.

Quem vive sem disciplina morre sem dignidade.

Faça de tudo para que o seu autocontrole e a sua disciplina se manifestem agora. Depois, pode ser tarde demais.

2. NÃO ECONOMIZAR MENSALMENTE PARA O FUTURO
Palavra-chave: não inteligente.

É necessário ter inteligência para fazer contas. Mesmo as contas mais básicas exigem de nosso cérebro.

O *Homo sapiens* nasceu com a ferramenta da inteligência e com uma capacidade cognitiva apreciável. Poucos decidem pagar o preço de desenvolver e administrar a inteligência. Daí, a dificuldade em entender a importância da economia e dos investimentos para o futuro.

Assim como 2 + 2 são 4, quem não economiza todos os meses terá a certeza do fracasso.

3. NÃO FAZER PLANILHAS DE PROJETOS E SONHOS
Palavra-chave: desorganizado.

A desorganização é a mãe dos projetos malsucedidos. Um ser desorganizado não prevê o futuro, ainda que o possamos enxergar no presente.

Escrever os seus projetos, planejar os seus sonhos, fazer planilhas de custos e receitas foram um princípio básico para realizar grandes coisas.

4. NÃO SER UM DOADOR GENEROSO
Palavra-chave: infeliz.

Grandes universidades já descobriram que o código da felicidade está escondido em doar ao próximo e às causas humanitárias.

Por isso, homens como Bill Gates, Warren Buffet e outros do mesmo nível doam desesperadamente.

O sentido da vida está em ser útil à humanidade. Quem não doa com generosidade erra seriamente em sua atualização como ser humano.

Tratando-se de liderança, o assunto fica ainda mais sério, pois não há como liderar sem doar.

5. NÃO ANDAR COM PESSOAS QUE SÃO REFERÊNCIA NO QUE VOCÊ DESEJA SER E TER
Palavra-chave: tolo.

A tolice escraviza você na frente da TV, nas paixões temporais e em pessoas vazias e sem destino.

Não caminhar lado a lado com quem já é referência no que alguém gostaria de ser no futuro é uma das maiores "burrices" que o ser humano pode cometer.

Andar de mãos dadas com os que já conquistaram o que ainda sonhamos é uma chave para a atualização.

Não cometa esse erro!

ATUALIZE-SE!

Entendi a riqueza inteligente quando visitei a Índia pela segunda vez. Fomos conhecer um vilarejo em West Bengali, próximo a Bangladesh. Lá, uma escola construída por missionários latinos era a única esperança de futuro daquele povoado.

Com US$ 18 mensais se mantinha uma criança estudando diariamente, com direito a uniforme escolar, material didático, alimentação e ainda aulas de inglês. Somente dominando esse idioma é que o indiano tem chance de se destacar na sociedade local.

Ou seja, com o dinheiro com que almoçamos em um dia no continente americano pagaríamos o mês inteiro de sustento e educação de uma criança e mudaríamos seu destino.

O fato é que pessoas transformadas transformam cidades. Podemos mudar uma cidade inteira, uma pessoa por vez.

Entendi que utilizar US$ 18 para patrocinar uma criança por mês era mais inteligente do que gastar o mesmo valor almoçando em apenas um dia.

Decidir para onde vai a sua riqueza define quem é você.

Retardar os nossos prazeres da vida terrena para servir aos que nasceram com destinos traçados para a escravidão é um dos sentidos de administrarmos riquezas.

Use a sua riqueza com inteligência!

ATUALIZAÇÃO 10:
Dinheiro só é riqueza se usado com inteligência para servir ao seu propósito na terra.

EQUIPES ATUALIZADAS

Capítulo 11

"Líderes não são mais um teto.
Agora são plataformas de lançamento."

TIAGO BRUNET

ATUALIZANDO...

84% atualizado

Acabou o tempo em que os líderes eram o topo de uma organização. Findou-se a era em que eles eram um teto que não permitia que outros crescessem. Os líderes atualizados são plataformas que promovem seus liderados e equipes. Uma vida atualizada veste-se como luva neste novo padrão.

Jesus ensinou: "Quem quiser tornar-se importante no meio de vocês deverá ser servo" (Marcos 10.43)

Quem já viu o futuro sabe que liderados não seguirão mais imposições, e sim exemplos.

Jesus sabia disso. Por isso, na última ceia, ele decide lavar os pés dos discípulos para transmitir a mensagem da humildade, até porque seria muito difícil passar um sermão sobre isso. O exemplo arrasta e não deixa espaço para dúvidas e contestações.

Liderar por exemplo; Liderar por reconhecimento.

Antigamente alguém podia ser líder se um superior o nomeasse ou colocasse uma patente em seus ombros. Hoje, líderes são reconhecidos. São seguidos pelo exemplo diário e também pela maneira em que lidam com situações difíceis e controversas.

É na contrariedade que um líder revela suas motivações.

Histórica e biblicamente falando, quem resolve problemas difíceis acaba por receber o governo. Ainda que seja improvável, como o caso de José, no Egito, e Daniel, na Babilônia.

A lei da atração é muito forte. Quero dizer que geralmente atraímos pessoas semelhantes a nós, de mesma classe social, religião, temperamento e linha de raciocínio.

Um exemplo: se eu sou "dominante" (conforme a análise de temperamento pelo método *soar*, que no passado conhecíamos como

"Colérico"),[1] identifico-me e me conecto em poucos minutos de conversa com outro "dominante". A facilidade de relacionamento é grande e acabamos nos aproximando. Os "dominantes" têm pensamentos parecidos, gostam de resultados, detestam indecisões, estão preocupados com o *status*, não com o processo, e são atraídos pelas mesmas recompensas.

O empecilho é que um "dominante" trabalhando com outro do mesmo temperamento geralmente causa conflitos. Os dois querem liderar, têm dificuldades de obedecer a regras e regulamentos, têm sérias limitações para lidar com rejeição e críticas, e ambos adoram desafios. Ser amigo é uma coisa; fazer negócio e trabalhar em equipe é outra.

Quando o assunto é temperamento, precisamos analisar detalhadamente antes de decidir.

SELECIONANDO PESSOAS

Quando Jesus seleciona sua equipe, ele escolhe seus liderados com base na convivência que eles tiveram antes de começar seu empreendimento em Israel.

A maioria das equipes de trabalho está em "pé de guerra" e desconhece os reais motivos pelos quais a situação chegou a esse ponto. Geralmente, o erro começou na formação da equipe. O gestor não analisou o perfil comportamental, o temperamento, o propósito de vida, a visão de futuro e a motivação de cada membro selecionado.

Formar e administrar equipes sempre será um desafio, mesmo para alguém com uma vida atualizada. Agora, com conhecimento específico, pode ser sem sofrimento, mas com sacrifício.

Você só elimina as dores se tiver tido o poder de visualizar as possibilidades antes que as coisas acontecessem. Quero dizer que um líder precisa montar cenários mentais e prever o futuro. Quando algo acontece com a equipe, isso não o afeta, pois seu cérebro já tinha registrado o que poderia acontecer. Somos feridos pelas surpresas.

[1] LAHAYE, Tim. **Temperamentos transformados**. São Paulo: Mundo Cristão, 2008.

Lidar com pessoas é relativamente cruel, pois cada uma veio de origem, criação e culturas diferentes. As expectativas são antagônicas. Algumas pessoas têm empatia; outras, são leigas emocionalmente.

O ser humano tem a forte tendência em se isolar quando não concorda com algo ou quando se ofende com alguém.

Às vezes, a arma de "destruição em massa" é a fofoca, os falatórios, o "disse me disse" e a calúnia. Muitas equipes foram exterminadas pela falta de inteligência relacional. Muitos ficaram feridos e perdidos pelo caminho.

É impossível evitar esse cenário, a não ser se aprendermos a selecionar e formar as equipes.

Selecionar (recrutar) e formar (treinar).

ATUALIZAÇÃO 11:
Aprenda a formar, treinar e se relacionar com a equipe. As estatísticas comprovam que ninguém faz nada realmente grande sozinho.

Como fazer para que a história de sempre não se repita?

Recentemente participei de uma *leadership coaching session*, com Bill Hybels, em Chicago, nos Estados Unidos.

Bill é um dos líderes de instituição cristã que mais admiro. Nessa sessão de *coaching* para líderes, ele abordou a tríade do líder que trabalha em equipe,[2] formada por:

AUTOCONSCIÊNCIA

INTELIGÊNCIA EMOCIONAL

CAPACIDADE DE RESOLVER PROBLEMAS DIFÍCEIS

Se compreendermos esses três pontos, se os aplicarmos na nossa vida, os avanços serão inevitáveis. Vou contar agora o que penso sobre isso.

---

[2] Hybels, Bill. **Liderança corajosa**. São Paulo: Vida, 2014.

1. AUTOCONSCIÊNCIA

Ao desenvolvermos essa habilidade, a autoavaliação, autocorreção, automotivação e o autocontrole vêm juntos. Está tudo agrupado.

Um líder autoconsciente entende bem sobre si mesmo e sobre os que caminham com ele. Tem uma noção real de suas fraquezas e limitações. E, por isso, não exorciza seus "demônios" nos outros.

Um líder autoconsciente tem uma boa percepção da realidade. Sabe quando está impondo um jugo sobre os liderados que nem ele mesmo é capaz de carregar. É equilibrado com palavras e ações.

Lembro-me bem de um caso que aconteceu comigo que exemplifica esse ponto.

Eu era CEO de uma empresa internacional de turismo. Quando chegava ao escritório, impunha responsabilidades e deveres aos gerentes e atendentes especializados, mas eles geralmente não cumpriam. Coisas como: "Aumentem as vendas pelo telefone", "Peçam desculpas por algum inconveniente na viagem pelo telefone" etc.

Um dia, cansado de não ver resultados da equipe, peguei o telefone para mostrar como se fazia.

E adivinhe.

Não consegui!

Era realmente uma tarefa difícil.

Quando eu tentava vender o pacote pelo telefone, a pessoa queria ver fotos. Enquanto passava o *website*, a pessoa já perguntava sobre o parcelamento e, por fim, comparava com o concorrente. Vinte minutos ocupando o telefone, e nada de vender. Percebi que esse tipo de venda tem de ser direta e pessoal (com exceções, é claro), porque, depois de meia hora tentando efetuar a venda, o cliente de qualquer maneira insistia em ir ao escritório para ver tudo pessoalmente e então comprar o pacote de viagem.

Para pedir desculpas por telefone... era a mesma coisa. O contato pessoal é o que determina o tom da conversa. Hoje em dia tentam resolver por *e-mail* ou pelo *WhatsApp* (na minha opinião, melhor do que o correio eletrônico, por causa das mensagens de voz).

Os seres humanos continuam humanos. A tecnologia nunca substituirá o contato pessoal.

Depois que aprendi fazendo, nunca mais cobrei da minha equipe algo que eu não poderia demonstrar primeiro. Geramos uma poderosa empatia no grupo, e os resultados vieram no final do mês.

A característica mais forte da autoconsciência é o autocontrole. Os líderes de hoje obrigatoriamente devem ser controlados. Segundo Daniel Goleman, ph.D., professor de Harvard e precursor da inteligência emocional, autocontrole é uma conversa interior contínua. É o componente da inteligência emocional que nos liberta da prisão dos nossos próprios sentimentos.

O autocontrole é primordial na liderança atual, pois "quem não governa a si mesmo não pode governar mais nada".[3]

Além de administrar seus sentimentos e emoções, o líder precisa criar um ambiente de confiança. Grave isto: *ambiente de confiança.*

E esse ambiente só pode existir com a estabilidade emocional (autocontrole) do líder.

O melhor de tudo é que o autocontrole é contagiante. Todos seguirão o exemplo de um líder sereno, que tem voz firme, porém tranquila, sabe manter a paz em situações conflitantes e não oprime ninguém com palavras ou gestos.

Será que alguém da equipe ousaria fazer diferente do líder?

Mesmo que haja um "nervosinho" na equipe, é questão de dias para ele ser contagiado pelo bom exemplo.

Todo ser humano tem uma profunda necessidade de aceitação e certamente ele se encaixará no modelo estabelecido pela organização para se sentir parte dela.

2. INTELIGÊNCIA EMOCIONAL

Há vinte anos, quando se ministrava sobre liderança, falava-se em visão, líder servidor, empreendedorismo, influência etc. Hoje, o

---

[3] GOLEMAN, Daniel. **Inteligência emocional**. Rio de Janeiro: Objetiva, 2001.

desenvolvimento da inteligência é o assunto principal. Mas, quando se trata das emoções, fica clara a falta de especialização nesse assunto entre os líderes e liderados.

Como citei anteriormente, Daniel Goleman foi um precursor mundial no assunto. No Brasil, a inteligência emocional (IE) foi difundida, principalmente, pelas obras do dr. Augusto Cury, com quem tive o privilégio de dividir o palco em palestras e treinamentos, tanto no Brasil como nos Emirados Árabes, nos Estados Unidos e em Israel.

Hoje em dia, pessoas que até são produtivas e dão resultados têm sido dispensadas de suas funções, porque ninguém consegue conviver com elas no ambiente de trabalho. São autodestrutivas e afetam os outros com sua infelicidade.

Recentemente, uma jovem participante de uma palestra que ministrei em São Paulo me procurou no fim da exposição e disse que era uma grande advogada tributarista da cidade. Formada e pós-graduada em grandes universidades, advogou para multinacionais e empresas centenárias. Porém, em um período de apenas dezoito meses, ela passou por sete empresas diferentes. Ninguém queria ficar com ela.

Na conversa, a jovem demonstrava estar confusa e assustada por chegar à conclusão de que alguém com um currículo espetacular e grande capacidade técnica pode ser facilmente descartada se não tiver inteligência emocional.

Em seu último emprego, que durou apenas três meses, ela discutiu com o presidente da companhia por ter seu orgulho ferido por uma colocação dele.

Contudo, o contrário também acontece muito. Líderes despedem bons funcionários, pois não sabem lidar com contrariedades, críticas construtivas e seu próprio orgulho.

Assim, concluo que uma das principais características de quem possui inteligência emocional é a *empatia* — o poder de se colocar no lugar do outro. Quando aprendi isso, a minha vida mudou.

Levar em conta as emoções e os sentimentos dos funcionários, membros da equipe ou familiares é obrigação de uma vida atualizada.

A cada dia, a empatia será mais e mais exigida dentro das corporações, pois o número de equipes continuará crescendo e a necessidade de reter talentos será cada vez maior.

Aliás, dos mais de 100 líderes que entrevistei sobre esse assunto, 64% já tinham perdido grandes talentos em suas instituições por não terem maturidade emocional para lidar com eles.

É preciso compreender como os outros se sentem, mesmo quando o erro vem deles; entender por que alguém está sendo agressivo ou impaciente; e enxergar com os olhos do outro.

Essa é uma fantástica qualidade que precisamos desenvolver.

3. CAPACIDADE DE RESOLVER PROBLEMAS DIFÍCEIS

Repito: analise a história e você verá que só assume lugares de governo e liderança quem resolve problemas difíceis.

As pessoas vivem fugindo de problemas. Elas nem imaginam que são as situações contrárias e difíceis que promovem o ser humano.

Adoro algumas séries de TV e definitivamente sou um cinéfilo. Aprendo muito assistindo às grandes produções de Hollywood. Recentemente, foi exibido nos cinemas o filme *Êxodo*, que conta a história de Moisés. Ele assumiu a liderança de 1,5 milhão de hebreus quando resolveu o grande problema daquele povo, feito escravo no Egito.

Ao negociar com o faraó e conseguir um "alvará de soltura", Moisés recebeu o governo sobre aquele povo.

Quem resolve problemas ganha destaque.

Pense agora em um líder da nossa época!

Por que Martin Luther King Jr. se tornou um grande líder?

Ele resolveu muitos problemas dos negros norte-americanos.

Mahatma Gandhi?

Ele resolveu problemas dos indianos.

Uma pergunta: você tem fugido dos problemas ou tem buscado a solução?

O QUE É MOTIVAÇÃO?

Particularmente, não gosto do termo "motivacional". Palestrante motivacional, livro motivacional e por aí vai... Tenho a impressão de que poucos entendem o que é motivar. Muitos usam o termo apenas como a falsa propaganda para atrair os que estão experimentando alguma fraqueza temporária.

Mas então o que realmente significa motivar?

Fomos ensinados de que motivar é dar um "tapinha nas costas" seguido por um "Você consegue!" ou por um animado grito "Não desista; você pode!".

O mundo mudou. Perdoe-me a insistência.

Se não nos atualizarmos hoje, viveremos o presente com os recursos e as ferramentas do passado. O futuro sempre estará distante para nós.

Defino a palavra "motivar" em uma frase: "Incluir alguém em um grande projeto".

Descobri peregrinando pelas estradas desta vida que todos querem fazer parte de um grande projeto.

Você, líder atualizado que possui uma vida atualizada, não motiva a sua equipe dando tapinhas nas costas ou usando frases de efeito, e sim incluindo os seus liderados em um projeto de tirar o fôlego.

Repare na fisionomia de alguém que está inserido em algo grande — um evento, um propósito de vida, um sonho, um alvo específico ou uma meta arrebatadora.

O rosto se transforma, revelando por meio de sorrisos constantes o sentimento único de pertencer a algo extraordinário.

Fiz uma pesquisa com líderes de diversos segmentos a fim de coletar informações para escrever este livro.

Uma das minhas perguntas para os entrevistados era: "Qual é o seu maior desafio como líder?".

E veja: 58% deles responderam que era "formar e gerir equipes".

Equipes atualizadas

Quando eles conseguem (depois de muito tempo) formar a equipe, começa o segundo e doloroso desafio: gerenciá-las e mantê-las.

A vida realmente não é fácil. Você luta, luta e luta para chegar a um novo nível. E quando chega... lá também encontra batalhas.

Isso desmotiva qualquer um.

Porém, aprendi empiricamente que, quando fazemos parte de algo grande, não sentimos, de forma aguda, as lutas e dificuldades, pois emocionalmente estamos focados no bem-estar que alcançaremos em breve, na plenitude em que entraremos quando atingirmos o grande alvo.

Fazer parte de algo grande indica que sabemos quem somos e para onde vamos.

Somos seres emocionais e, acredite, as nossas guerras são vencidas ou perdidas no território das emoções.

Entenda os pontos a seguir para ter o passo a passo correto para a sua atualização.

Meta: é um número de conquista temporal. Algo que desejo alcançar hoje, mas amanhã posso ter outra coisa em mente e, geralmente, para objetivos diversos. Meta tem prazo, tem pressa. Meta, de maneira geral, é um objetivo a ser alcançado.

Sonho: é uma meta atemporal. O tempo e as dificuldades da vida não podem desgastar um sonho. O que chamamos de "a viagem dos sonhos", por exemplo, não é verdadeiramente um sonho, mas uma meta. É importante não confundir.

Sonhos são intocáveis e quase inatingíveis. Eles são um legado que transcende você mesmo. Em geral, não estão ligados a coisas materiais, mas a conquistas interiores e ao benefício coletivo.

Valores: são códigos de conduta e princípios que, independentemente da situação, problema ou pressão em que alguém se encontre, não mudam.

Se alguém diz que "verdade" é um valor seu, mas, diante de uma grande oportunidade, concorda em mentir para ter algum proveito, esse definitivamente não é um valor para essa pessoa.

Eu ministrava um curso de formação em *coaching* pelo Instituto Destiny no Rio de Janeiro em 2014, quando um aluno perguntou sobre o meu conceito de valores.

Creio que choquei a turma ao declarar que possuo alguns valores, porém o *Não matar* não era um deles.

O mesmo aluno indagou: — Então, você mataria?

Sorri e o fiz pensar em uma situação de legítima defesa ou na possibilidade de salvar um filho, ao matar o agressor, mas não respondi.

Se diante da pressão ou de situações extremas você tomaria atitudes que jamais teria em dias normais, essas "atitudes" não são valores para você.

Expliquei que honestidade, por exemplo, é um valor para mim. Então, mesmo diante de grande pressão, mesmo diante de uma forte afronta ou ameaça, jamais seria desonesto.

Isso é valor.

Aproveite a reflexão e faça uma lista dos seus três principais valores.

Agora, cite dois valores que você acreditava que tinha, mas que, nessa nova perspectiva apresentada, você percebe que abriria mão deles sob pressão.

Em suma, formar e administrar equipes são alguns dos grandes desafios de uma vida e liderança em atualização. Precisamos de reciclagem constante para cumprir tamanha responsabilidade.

O que realmente eu quero?

Capítulo 12

"Enquanto não descubro o que realmente desejo quando insisto em algo ou alguém, nunca desfruto a plenitude da conquista."

TIAGO BRUNET

ATUALIZANDO...

92% atualizado

O que realmente eu quero?

Fazemos muitas coisas com intenções obscuras. Não leve isso para o lado negativo. O "obscuro" usado nessa frase significa falta de clareza.

Temos muitos desejos embutidos em um projeto ou missão.

Entramos neste último capítulo de atualização, pois insisto que nunca estaremos prontos para o que está por vir se não abandonarmos velhos conceitos e abrir a nossa mente para o novo.

Doug Lipp, executivo norte-americano que ajudou a criar a primeira versão da Disney University, diz em seu livro *Academia da Disney*[1] que o próprio Walt (1901-1966) era muito constante em seus pensamentos sobre atualização.

Disney declarou certa vez publicamente: "Mantenha os nossos parques sempre atualizados".

O que ele realmente queria era que as famílias dos Estados Unidos e de outras nações tivessem os parques deles como alvo principal das férias. Para isso se tornar possível, nada dentro da Disney poderia estar desatualizado. O sonho inicial era criar um lugar de descanso e diversão para o grande público, mas, se todo ano brinquedos, temas e personagens fossem os mesmos, quem voltaria?

A motivação correta, com atualização constante, conduz a uma vida abundante.

Samuel Klein, fundador da rede Casas Bahia, vendia móveis para casa, mas o que ele realmente queria era emprestar dinheiro a juros. E conseguiu. Vender móveis e eletrodomésticos no carnê a "perder de vista" é o grande negócio da família Klein.

O McDonald's vende *fast-food*, mas o real negócio deles são os imóveis. Já reparou que eles têm as esquinas mais caras e famosas do mundo?

Cinco anos antes de cair a Cortina de Ferro — que dividia a Europa em Oriental, sob o domínio da extinta União Soviética, e Ocidental, sob o domínio dos EUA —, o McDonald's, na Europa Oriental, já tinha um plano comercial para compra de terrenos estratégicos e instalações

---

[1] São Paulo: Saraiva, 2013.

de franquias. Imagine quanto custava comprar uma esquina na Budapeste pós-guerra? E hoje em dia? Vale milhões!

A sua visão define o que realmente você quer.

O que realmente eu quero?

Você não imagina a dificuldade que as pessoas têm para responder a essa pergunta. É um grande desafio.

Muita gente gasta anos e mais anos atrás de uma mesa de escritório, trabalhando doze horas por dia, para no fim da carreira descobrir que o que realmente queria era segurança financeira. Pouco importava como conseguiria essa segurança; o importante era alcançá-la.

Trabalhar doze horas por dia atrás de uma mesa era apenas uma das opções do cenário. Mas, se uma pessoa tivesse se tornado um investidor da bolsa, trabalhando três horas por dia em casa, também teria conquistado o mesmo objetivo, por exemplo.

Tem gente que investe anos de sua vida tocando projetos desgastantes e até suicidas para descobrir no fim de tudo que o que realmente queria era reconhecimento. Há centenas de formas de obter reconhecimento. Um projeto "suicida" é apenas uma das opções.

E VOCÊ? O QUE REALMENTE QUER?

Uma das maiores funções de uma vida atualizada é mostrar um cenário com várias opções para seus liderados e, principalmente, encontrar seu próprio cenário. Assim, todos podem alcançar o que realmente querem, escolhendo também *como* chegar lá.

O processo é tão importante quanto o destino. Existem pessoas que até alcançam o topo, mas, quando chegam lá, notam que estão sem um braço, sem a família, sem sentimentos e sem o coração. Quando se veem com a tão sonhada conquista em mãos, nem sequer conseguem celebrá-la de tão feridos e desgastados que estão.

O destino só é celebrado quando o processo valeu a pena. Faça valer!

O que realmente eu quero?

Há um segredo em desenvolver e desfrutar o processo. Quando você definir o que realmente deseja, precisa blindar-se espiritualmente e emocionalmente para enfrentar o caminho até chegar lá.

Desvendar o seu destino na terra ajudará você a peregrinar nas estradas esburacadas desta vida. Afinal, suportamos melhor a caminhada quando sabemos para onde estamos indo.

PERGUNTA ENFÁTICA

Atendo a diversos líderes em sessões de *coaching*. Políticos, líderes religiosos, presidentes de instituições, empresários, esportistas e executivos. Chega um momento da sessão em que se faz necessário concluir a linha de pensamento abordada. Então surge a pergunta enfática: "O que realmente você quer?".

Parece que ouço um clique na mente do cliente, e a fisionomia muda.

Como num passe de mágica, a mesma pessoa que estava contando projetos e definindo objetivos ao longo de todo o atendimento transforma a abordagem e levanta outro assunto. Em geral, nesse momento, quando confrontada com tal pergunta, a pessoa começa a revelar o que realmente importa.

É fantástico como a mente humana funciona! Basta o estímulo correto para que ela libere todo o seu potencial.

Tenho falado insistentemente ao longo deste livro que atualizar a sua liderança é uma necessidade urgente. Porém, para que essa atualização surta efeito, você precisa decidir o que realmente quer.

Por exemplo, quando atualizei o iOS do meu iPhone da versão 7.1 para 8.1, o que eu realmente queria era baixar dois novos aplicativos, que só eram permitidos na nova versão, e atualizar as ferramentas de edição de foto do meu *Instagram*.

Quero dizer que atualizar o meu iPhone tinha um objetivo definido. Eu sabia por que queria fazer isso.

Ao entrar nesse processo de atualização, às vezes doloroso, é fundamental ter consciência do que você realmente deseja, para que possa celebrar a vitória quando ela chegar.

ESTUDO DE CASO

Em 2015, atendi a um executivo que tinha um desejo estranho. Ele queria inconscientemente se livrar da fortuna que construíra. Raro, não? A maioria das pessoas luta dia e noite para fazer fortuna, e ele queria desfazer-se de sua riqueza.

Ele passou a vida toda empreendendo, pois acreditava que conquistando sucesso profissional e financeiro encontraria, enfim, a sonhada paz.

O dr. Pedro (nome fictício) teve uma infância perturbada. Ouvia constantemente de seu pai que nunca seria nada, que nunca conquistaria algo na vida e que era um imprestável. A psicologia já provou o impacto profundo que há em uma criança quando ela escuta e registra palavras negativas provenientes de posições hierárquicas altas como pais, avós, professores etc.

Pedro nunca teve paz. Deu o melhor de si para ter condições de comprar tudo o que queria ao longo da vida. Até que, ao conquistar o mundo, descobriu que a paz não estava à venda. A paz não é um sentimento, mas o estado em que você fica quando está alinhado com o seu propósito na terra. Sem propósito (ICP), sem paz.

O dr. Pedro tinha tudo, menos o que tanto procurava. Estava desalinhado.

Ele encontrou nas ações de caridade um alívio passageiro para a alma. Logo, descobriu o jogo. Ficou entre o céu e o inferno. Parte da fortuna ia para o bem e parte para o mal.

No fim, ele só queria se livrar, ainda que inconscientemente, daquilo que lutou a vida toda para conseguir. Em sua fantasia, essa seria a tampa do buraco de sua alma, mas, na verdade, nada iria mudar. Não resolvemos o problema sem acabar com a causa.

Em uma das nossas sessões, olhei fixamente nos olhos dele. Sua fisionomia inerte revelava indiferença ao processo pelo qual estávamos passando. Então, bati na mesa. Ele se assustou. E, olhando para ele com profundidade, perguntei com voz empostada: — Pedro, o que realmente você quer?

Ele começou a chorar.

O que realmente eu quero?

Com as lágrimas correndo pelo rosto, ele me olhou com certa insegurança e respondeu:

— Quero a paz que sentia quando era pequeno e podia sentar no colo do meu pai.

— Seu pai ainda vive? — perguntei.

— Não — disse Pedro, completando: — E, se estivesse vivo, não mudaria nada. Não nos falávamos muito.

E eu quis saber: — Como você pode sentir falta de sentar no colo dele, se vocês não eram tão próximos assim?

O choro de Pedro aumentou. Era um choro de dor.

— Foram palavras dele, as próprias palavras dele, que me afastaram. Passei toda a vida buscando a aprovação dele e tentando provar que eu a tinha conseguido. Mas ele nunca ligou. Nunca pude encontrar a paz. Jamais poderei sentar no colo dele novamente. Ele se foi e nunca celebrou comigo tudo o que conquistei.

Note que Pedro, na verdade, não queria se livrar da fortuna. Queria, sim, livrar-se da frustração de ter conquistado tanto e ainda assim não ter conseguido a atenção do pai. Ele estava frustrado porque não fora, de alguma forma, aceito e reconhecido pela mais alta hierarquia emocional de um homem, o próprio pai.

E você? O que realmente quer?

Os sete pecados capitais, geralmente, são o fundo principal do que realmente queremos.

Muitas guerras, genocídios e conflitos foram iniciados com uma bandeira, mas o que eles realmente queriam era saciar sua fome pecaminosa.

Um exemplo clássico disso foi a Inquisição espanhola (1478-1834). Historiadores atuais já defendem que a verdadeira intenção da Inquisição não era matar judeus ou fortalecer o cristianismo, mas levantar política e financeiramente a Espanha, que vivia um pesadelo como nação.

Com terras desérticas e improdutivas, sem rotas e estradas fáceis, com um povo rebelde e sem liderança, a Espanha estava decadente. Mas tudo isso poderia ser mudado.

O que eles realmente queriam era dinheiro e poder. E a única forma de fazer isso era unificando a nação.

O casamento de Fernando, herdeiro de Aragão, e Isabel, herdeira de Castela, em 1469, foi a tentativa de aproximar os reinos que estavam divididos havia séculos. Mas o casal de governantes sabia que não haveria unidade política e financeira sem unidade religiosa. E deram boas-vindas à "Santa Inquisição".

O que hoje é visto como terror foi celebrado e elogiado pelos governantes europeus da época.

Uma vida atualizada verifica o pano de fundo de suas decisões e desejos. Quero dizer que não podemos gastar a nossa energia e o nosso tempo em projetos e objetivos que, na verdade, alimentam pecados capitais como a luxúria, o orgulho, a inveja, a vaidade etc.

Ao analisar a História, concluímos que aqueles que promoveram grandes feitos desejando o pecado que estava por trás de tudo falharam de tal forma que toda a cidade e nação foram afetadas, não apenas sua própria vida.

Atualizar-se é necessário para que possamos trabalhar pelo que realmente queremos.

Desafio você a subir a escada da inteligência!

Seriam necessários 15 mil computadores de última geração conectados em rede simultaneamente para simular as atividades e a capacidade real do nosso córtex cerebral.

Você tem uma arma dentro de si. Uma riqueza inigualável.

Quando você trabalha, na verdade não recebe salário. O contratante apenas paga a você um *leasing* pela utilização de um caro e raro equipamento, o seu cérebro.

O pagamento varia, porque o valor do "aluguel" é calculado com base no degrau da escada da inteligência em que a pessoa se situa. Quero dizer que somos remunerados pelo conhecimento que temos, pelo nível do nosso desenvolvimento pessoal, psíquico e espiritual.

Usando essa ferramenta precisa que é a nossa inteligência, seremos promovidos por onde passarmos. Certamente, seremos capazes de analisar e escolher o que realmente queremos.

Acredito que uma vida atualizada conhece bem o valor de sua mente. Sabe utilizar cada habilidade que ela possui. É necessário escrever outro livro somente para abordar o tema "inteligência". Amo discorrer sobre esse assunto.

Entenda que uma das maiores funções do cérebro é o aprendizado. E note que este é dividido em três partes:

ENTENDER

APRENDER

FIXAR

Quando você assiste a uma aula, palestra ou seminário, não está aprendendo. Caso você preste muita atenção, anote tudo o que foi dito, tire suas dúvidas durante a exposição e tenha paixão pelo assunto abordado (isso ajuda muito no processo de aprendizado), aí, sim, você irá *entender* o que foi passado. O entendimento pode ser coletivo. Já o aprendizado é individual.

Depois que você entender o que foi dito em sala de aula, conferência, seminário ou palestra, chegue em casa e, antes dormir, estude por quinze ou vinte minutos o que foi anotado. Esse é o segredo para "escrever no cérebro".

Quero dizer que, quando dormimos, o nosso cérebro deleta tudo o que não se transformou em aprendizado. O sistema límbico é apagado, e esquecemo-nos facilmente do que entendemos no dia anterior. Mas, caso você tenha estudado em casa, aí você aprende de fato.

O terceiro passo é a fixação. Fazemos isso por meio do sono reparador, que é a manutenção do cérebro. O segredo do aprendizado.

Entenda as coisas coletivamente, estude individualmente e durma bem todos os dias.

Aprender é mais profundo que entender.

Mas entender é o primeiro passo.

Não celebre um elogio até que esteja certo da motivação por trás dele.

MOTIVAÇÕES

Muita gente investiu em coisas boas, mas com motivações erradas. Outras pessoas andaram com pessoas erradas, com as motivações corretas.

A motivação é o que impulsiona e direciona uma vida atualizada rumo às conquistas.

Definir a motivação que está por trás de cada decisão é o desafio.

Certa vez, fui ao cinema com a minha esposa ver a estreia de um filme policial brasileiro. Em uma das cenas, o delegado, que era uma das principais personagens do longa, foi convidado para um jantar de gala na cidade na qual participava de uma operação especial. E ele convidou uma policial novata para acompanhá-lo no jantar.

Durante o evento, o prefeito da cidade sobe à plataforma e começa a distribuir elogios gratuitos ao delegado. Diz que, agora, a cidade está em segurança e que o excelente trabalho dos policiais sob o comando de tão nobre líder é admirado por toda a população.

A novata olha para o delegado e, com um sorriso no rosto, diz: — Parabéns, chefe. Que honra ser homenageado assim, publicamente!

O delegado então retruca: — Se aprendi algo em trinta anos de polícia é que esse tipo de elogio tem outras motivações escondidas e que nem tudo o que parece realmente é.

No fim, ele estava correto. Tanta bajulação tinha a motivação de levar o delegado para um esquema de corrupção na cidade.

Toda ação tem uma motivação. Não se impressione com as ações, mas discirna as motivações.

Um líder atualizado precisa ter sensibilidade para entender os reais motivos (ainda não explícitos) de cada negócio, relacionamento, conversa e reunião.

A motivação é a mola propulsora das realizações.

Às vezes, estamos tão carentes e fragilizados que um elogio ou proposta nos arrebata a tal ponto de não termos tempo de identificar a motivação por trás disso tudo. Afinal, sentimo-nos tão aceitos com as palavras lisonjeiras que ficamos anestesiados.

Identifique as motivações!

O EFEITO DA CRIATIVIDADE NA VIDA ATUALIZADA

A diferença entre dom e virtude é que o dom nasce com você. É um presente divino. Já a virtude precisa ser desenvolvida.

Assim, a criatividade não nasce com você. É adquirida quando a paixão pelo novo e a vontade de fazer a diferença superam o comodismo de ser igual a tudo e a todos em troca de uma recompensa.

Ser criativo é olhar para o que todo mundo olha, mas enxergar de forma diferente. É dar lugar às possibilidades. É associar o óbvio de forma distinta.

Criatividade e inteligência são coisas diferentes e ambas precisam ser desenvolvidas. É possível encontrar pessoas inteligentes, mas pouco criativas e vice-versa.

ATUALIZAÇÃO 12:

Defina o que realmente você quer e analise as suas motivações. Sem isso, nada terá um real objetivo. E, ao definir o seu objetivo, seja criativo!

Um conselho: uma das principais buscas de uma vida atualizada deve ser a criatividade. Nunca na História alguém se tornou significativo sem ela.

Sempre que você fizer algo como líder, assegure-se de que "criar" seja uma das principais motivações.

Se não criamos, não construímos um legado. Não temos o respeito que o pioneirismo concede.

Precisamos observar padrões que não tinham sido identificados anteriormente para obtermos o destaque criativo necessário. O *brainstorming* é uma das maiores fontes de criatividade que conheço. Um líder-chefe não gosta dessa "tempestade de ideias", pois terá de escutar os outros, dividir opiniões e, às vezes, dar o mérito a um membro da equipe. Já o líder atualizado é fanático por discussões criativas.

Nada é certo ou errado em reuniões como essa. Tudo são ideias. Depois, com a análise crítica da equipe especializada, chega-se à conclusão de que se pode aproveitar de tudo o que foi dito e anotado.

Promova *brainstorming* semanal na sua organização. Que seja de vinte e cinco a trinta minutos; com poucos participantes; que tenha um líder que conduza a sessão, um(a) secretário(a) que tome nota de todas as ideias e uma equipe altamente criativa, alinhada e eficaz à mesa.

Para que você veja o que ninguém viu antes, será necessário focar no improvável. Desafiar o impossível. A fé será sua única aliada.

A nossa vida é um grãozinho de areia diante do mar da eternidade, mas algo relevante que fizermos renderá comentários entre as futuras gerações.

Para isso, a criatividade deve ser sua amiga íntima, a sua real motivação em uma descoberta ou conquista. Fazer igual a tudo e a todos não coloca o seu nome na História.

Benjamin Franklin (1706-1790), diplomata, inventor, abolicionista e um dos líderes da Guerra da Independência dos EUA (1776), disse certa vez: "O hoje é pupilo do ontem".

Ou seja, use as experiências do passado para inovar no futuro. Aprenda com as suas derrotas e não se contente com as vitórias. Almeje criar.

ATUALIZAÇÃO DESDE A INFÂNCIA

A psicologia comprova que as nossas motivações na vida são influenciadas pela infância que tivemos. No livro *Dinheiro é emocional*, explico que as frustrações do passado determinam, por exemplo, o seu destino financeiro.

Quero dizer que, às vezes, você se esforça muito para comprar o carrão importado do ano, mas, na verdade, o que você queria era livrar-se de uma dor, de uma vergonha ligada a algum tipo de menosprezo ou privação sofrido na infância.

O que realmente eu quero?

Só que o dinheiro não consegue cumprir o papel de médico da alma. Mesmo que você gaste tudo esbanjando com coisas materiais que, aparentemente, irão retirar a dor do processo, isso jamais acontecerá. E é por essa razão que quem não conquista saúde emocional jamais terá paz financeira.

Certa vez, atendi um jovem bem-sucedido que queria casar com a namorada, porém estava vivendo um período de muita confusão mental. Ele me procurou como *coach* para que, por meio de perguntas e exercícios, alcançasse a liberdade de ideias.

Perguntei a ele o porquê de tanta pressa para o casório e de tanta confusão na mente. Ele explicou que gostaria de ter uma vida sexual sem culpa e também de se livrar das ordens opressoras dos pais.

Preste atenção nesse caso, amigo leitor. Ele queria fazer a coisa certa, com as motivações equivocadas. Quem foge dos problemas cria outros ainda maiores no futuro.

Problemas foram feitos para ser enfrentados e resolvidos no mesmo dia em que surgem. Não se pode empreender a vida fugindo das contrariedades.

A motivação para um relacionamento a dois deve ser, conforme os votos sagrados, construir uma vida, ter filhos, cuidar do outro, respeitá-lo, fazê-lo feliz, em vez de se casar para ser feliz.

Quem não é feliz sozinho nunca o será por causa de alguém. A felicidade não depende necessariamente de fatores externos.

Avalie as suas reais motivações em tudo o que você estiver fazendo e empreendendo hoje. É importante descobrir o que realmente o leva a fazer o que faz. A agir como age. A sonhar o que sonha.

Assim que assumiu o controle da Alemanha, Adolf Hitler (1889-1945), o ditador, divulgou a intenção de unificar e fortalecer a nação. Sua campanha de melhoria foi massiva e se tornou popular. Mas sua real motivação era tirar de cena quem o incomodava, aqueles que traziam desconfortos à sua memória emocional. Isso só seria possível por meio do poder.

Muitos desejam o poder para usá-lo como amortecedor de suas frustrações pessoais, mas o poder para uma vida atualizada serve para servir aos outros.

Não importa o estado no qual você se encontra hoje. Agora, você já tem as informações de que precisava. E há tempo para apertar o botão de *Atualizar*. Aperte-o agora mesmo.

Recomece, reinvente, reinicie e atualize-se! Enquanto há vida, há esperança.

ATUALIZAÇÃO CONCLUÍDA COM SUCESSO!

FINALIZANDO ATUALIZAÇÃO

100% atualizado

Conclusão

Caro leitor, atualizar-se não é tão fácil quanto imaginávamos.

Descobrimos neste livro a importância de desvendar sua ICP — ideia central permanente —, ou seja, o seu propósito na terra.

Aprendemos que, se a sua visão não é bem definida e se a sua missão não está clara, o tempo será o seu inimigo e o futuro nunca chegará. Então compreenda que:

1. Se você não souber quem é você, nunca terá sonhos exclusivos, objetivos próprios e identidade. Você se moverá pela opinião dos outros, entrará em oportunidades que não eram adequadas e ficará emocionalmente afetado todas as vezes que o contrariarem.

2. Se você não tiver um mentor, acabará se perdendo pelo longo caminho dessa atualização. Ficará sem conselhos, sem instrução, e dificilmente conseguirá decidir corretamente.

3. Sem sabedoria, você não estabelece as conquistas, não mantém relacionamentos e ainda devora as suas finanças. A sabedoria é a ferramenta principal na construção da vida. Pague o preço que for necessário para obtê-la.

4. Sem aprender a arte de se comunicar, você continuará passando mensagens que não queria. Continuará afastando pessoas estratégicas por

causa da sua expressão corporal e não verbal. Além disso, não saberá usar as palavras certas nos momentos certos. Isso o fará pensar que você é alguma coisa, mas comunicará outra imagem aos que o veem e escutam.

5. Tendo as estratégias corretas de *marketing*, no modelo que Jesus usou, você irá mais rápido e mais longe. Poderá divulgar melhor a sua mensagem e utilizará a forma correta de amplificar sua ICP. Sem autopromoção, mas com assertividade na divulgação.

6. O tempo é uma moeda irreversível. A forma em que você o gasta revela quanto ele é estimado por você. Somente gerindo com inteligência o nosso tempo na terra, seremos capazes de avançar, conquistar e atualizar a nossa vida.

7. Muitos ganham grandes troféus com seus talentos, mas apagam seu nome da História com seu comportamento. De que lado você quer estar?
Talento + comportamento = legado.

8. Uma vida sem ferramentas é uma empreitada sem recursos. Precisamos encontrar as ferramentas corretas para construir as decisões e escolhas da nossa existência.
Procure e pague o preço que for para ter as melhores ferramentas disponíveis. Tenha acesso ilimitado a todo conhecimento específico que puder.

9. Como seres humanos, somos governados pelas emoções. Caso não tenhamos excelência para lidar com elas, seremos manipulados por sentimentos e enfraquecidos por fantasmas mentais. Para uma vida atualizada, ser portador da inteligência emocional é fundamental.

10. Tudo o que você gastar ou investir fora da sua ICP (do seu propósito) será dinheiro posto em saquitel furado. Carros, bens, roupas de marca, viagens... nada vai satisfazer o que só o sentimento de estar cumprindo o seu destino na terra pode preencher.

Conclusão

11. Quão longe podemos chegar sem uma equipe?

Identificar e treinar pessoas que dariam a vida pela nossa ICP é um importante ponto para a nossa evolução. Estarmos atualizados em um mundo em constantes e enigmáticas mudanças nos faz entender que formar pessoas para nos ajudar nas escaladas da vida é um item obrigatório, não uma opção.

12. O que você realmente quer?

Por trás do que fazemos, sempre há o que realmente queremos.

Se você não desvendar todas as suas reais intenções e motivações, continuará trabalhando pelo que não importa tanto.

Faça a diferença na história de sua vida. Dê o "sangue" pelo que realmente você quer. Não busque atalhos, não existe caminho fácil.

Atualize-se e tenha uma chance de ser completo.

Agora que você está atualizado, baixe todos os "aplicativos" que o ajudarão e facilitarão a sua vida.

E não se esqueça:

Em pouco tempo será necessária uma nova atualização!

Paz e prosperidade
Tiago Brunet

Referências bibliográficas

BOSSONS, Patricia; RIDDEL, Patricia; SARTAIN, Denis. **The Neuroscience of Leadership Coaching.** New York: Bloomsbury, 2015.

CARSON, Clayborne (Org.). **Martin Luther King, 1929-1968:** a autobiografia de Martin Luther King. Trad. Carlos Alberto Medeiros. 1. ed. Rio de Janeiro: Zahar, 2014.

DELAFORCE, Patrick. **O arquivo de Hitler.** São Paulo: Panda Books, 2014.

DELL'ISOLA, Alberto. **Mentes geniais.** São Paulo: Universo dos Livros, 2014.

KERSHAW, Ian. **Hitler.** São Paulo: Companhia das Letras, 2013.

MARSTON, William Moulton. **Emoções das pessoas normais**. Disc-livro. São Paulo: Success for You, 2014.

RUSSELL, Bertrand. **A história da filosofia ocidental.** Livro 1: a Filosofia Antiga. Rio de Janeiro: Nova Fronteira, 2015.

SILVA JÚNIOR, João Vaz da. **Vida longa.** Joinville: Clube de Autores, 2010.